D0292525

Présence du futur / 461

Une collection *d'inédits* au format de poche

Les 9 princes d'ambre

DU MÊME AUTEUR
DANS LA MÊME COLLECTION

Royaumes d'ombre et de lumière
Toi l'immortel
Seigneur de lumière
Le sérum de la déesse bleue
Aujourd'hui, nous changeons de visage
La pierre des étoiles
Repères sur la route
L'œil de chat

Cycle des Princes d'Ambre :

Les fusils d'Avalon
Le signe de la Licorne
La main d'Obéron
Les cours du chaos
Les atouts de la vengeance
Le sang d'ambre
Le signe du chaos

ROGER ZELAZNY

Les 9 princes d'ambre

roman

TRADUIT DE L'AMÉRICAIN
PAR ROLAND DELOUYA

DENOËL

Titre original :

NINE PRINCES IN AMBER

(Avon Books, New York)

19, rue de l'Université, 75007 Paris
ISBN 2-207-30461-2

I.

Ça commençait à se dissiper, mais après ce qui me parut être une éternité.

J'essayai de remuer les orteils. J'y réussis. J'étais sur un lit d'hôpital, les jambes dans le plâtre. C'étaient bien mes jambes.

Je fermai les yeux avec force et je les rouvris. Trois fois.

La chambre reprit son aplomb.

Où diable étais-je?

Les brumes se déchirèrent lentement et la mémoire me revint. Je me souvins de nuits, d'infirmières et d'aiguilles. Chaque fois que je commençais à reprendre mes esprits, quelqu'un entrait et me piquait avec quelque chose. C'était exactement ce qui s'était passé. Exactement ça. Mais maintenant j'étais à peu près conscient. Ils allaient bien être obligés d'arrêter leur petit jeu.

Non?

Une pensée jaillit : *Peut-être pas.*

Un léger scepticisme, bien naturel, quant à la pureté des motivations humaines vint assombrir le cours de mes pensées. Je pris brusquement conscience qu'on avait dû m'administrer une bonne dose de narcotiques. Sans aucune raison, eu égard à mon état de santé. Aucune raison non plus pour qu'ils s'arrêtent si on les avait payés pour. Alors fais gaffe et joue les drogués, me conseilla une petite voix intérieure qui, malgré sa sagesse, n'était pas ce qu'il y avait de meilleur en moi.

C'est ce que je fis.

Dix minutes plus tard, une infirmière passa la tête par l'entrebâillement de la porte. J'étais évidemment en train de ronfler avec application. Elle s'en alla.

Pendant ce temps, j'avais commencé à reconstituer ce qui était arrivé.

Je me souvenais vaguement d'avoir eu un accident. La suite était encore floue. Quant à ce qui s'était passé avant, je n'en avais pas la moindre idée. Je me souvenais qu'on m'avait d'abord conduit dans un hôpital, puis dans cet endroit. Pourquoi? Je n'en savais rien.

Mes jambes, cependant, se portaient bien. Suffisamment bien pour me soutenir. Je ne savais pas combien de temps s'était écoulé depuis leur fracture — mais je savais qu'elles avaient été fracturées.

Je m'assis. Après un gros effort, car mes muscles étaient ankylosés. Dehors il faisait nuit. Une poignée d'étoiles clignotaient contre la fenêtre. Je leur rendis leur clin d'œil et balançai mes jambes sur le bord du lit.

Je fus pris d'un vertige qui s'atténua au bout d'un moment. Je me levai en m'agrippant à la tête de lit. Je fis mon premier pas.

Parfait. Mes jambes me portaient.

Théoriquement, j'étais donc en état de m'en aller.

Je revins à mon lit et m'allongeai pour réfléchir. Je transpirais et je tremblais. Visions de bonbons, etc.

Il y avait quelque chose de pourri dans le royaume de Danemark...

Je me souvins. Il y avait une voiture mêlée à cet accident. Un sacré bon Dieu d'accident...

La porte s'ouvrit, laissant filtrer un peu de lumière. A travers mes cils, j'aperçus une infirmière tenant une seringue hypodermique.

Elle s'approcha du lit. Une nana hanchue avec des cheveux sombres et de grands bras.

Au moment où elle fut tout près, je me redressai.

« Bonsoir.

— Oh!... bonsoir! répondit-elle.

— Quand est-ce que je sors?

— Il faut demander au docteur.

— Faites-le.

— Remontez votre manche, je vous prie

— Non merci.

— Je dois vous faire une piqûre.

— Je n'en ai pas besoin.

— J'ai bien peur que ce soit au docteur d'en décider.

— Alors faites-le venir. Il me le dira lui-même. Jusque-là je refuse.

— J'ai des ordres.

— Eichman en avait aussi. Vous savez ce qui lui est arrivé, dis-je en hochant lentement la tête.

— Très bien, dit-elle, je vais être obligée de faire un rapport...

— Je vous en prie. Pendant que vous y êtes, dites-lui que j'ai décidé de partir demain matin.

— Impossible. Vous ne pouvez même pas marcher... Vous avez eu des lésions internes...

— Nous verrons. Bonsoir. »

Elle disparut sans répondre.

Je restai allongé en ruminant mes pensées. Je devais être dans une sorte de clinique privée. Quelqu'un payait donc la note. Qui parmi mes connaissances? Aucun visage familier — parent ou ami — ne m'apparut. Que restait-il? Des ennemis?

Je réfléchis un moment.

Rien.

Personne pour me combler ainsi de bienfaits. Brusquement un souvenir me revint : j'étais passé par-dessus une falaise au volant de ma voiture et tombé dans un lac. Je ne me rappelais rien d'autre.

J'étais...

Je me torturais la mémoire et commençais à transpirer de nouveau.

Je ne savais pas *qui* j'étais.

Je m'assis, et pour m'occuper, je défis tous mes bandages. En dessous, ça avait l'air d'aller. J'avais donc eu raison d'agir ainsi. Je brisai le plâtre de ma jambe droite à l'aide d'un montant de métal fixé à la tête de lit. J'avais le brusque sentiment qu'il me fallait sortir de là en vitesse, que j'avais quelque chose à faire de toute urgence.

J'examinai ma jambe droite. Tout allait bien.

Je mis en pièces le plâtre de ma jambe gauche, me levai et me dirigeai vers le placard.

Pas de vêtements.

Des bruits de pas. Je retournai à mon lit et fis disparaître les débris de plâtre et les bandages inutiles.

La porte s'ouvrit une nouvelle fois.

La lumière m'inonda. Un gars costaud en blouse blanche se tenait sur le pas de la porte, la main sur l'interrupteur.

« On me dit que vous donnez du fil à retordre à l'infirmière? dit-il. Inutile d'avoir l'air de dormir.

— Je ne sais pas, dis-je. Pourquoi? »

Son froncement de sourcils m'apprit qu'il était perplexe, puis : « C'est l'heure de votre piqûre.

— Êtes-vous médecin?

— Non, mais j'ai qualité pour vous faire une piqûre.

— Je refuse. La loi m'y autorise. Dites-moi ce qu'elle vous autorise à vous?

— Vous aurez votre piqûre quand même », dit-il en contournant le lit. Il tenait une seringue qu'il avait cachée jusque-là.

Un coup bas, à environ dix centimètres au-dessous de la ceinture, le mit sur les genoux.

« ...! dit-il au bout d'un moment.

— Tu vois ce qui arrive aux gens qui s'approchent d'un peu trop près?

— Nous avons les moyens de venir à bout de malades comme vous », haleta-t-il.

Il était temps d'agir.

« Où sont mes vêtements? demandai-je.

— ...! répéta-t-il.

— Je suis donc obligé d'emprunter les tiens. Donne. »

Comme ça m'ennuyait de répéter trois fois la même chose, je lui jetai les couvertures sur la tête et l'assommai avec le montant métallique.

En moins de deux minutes, j'étais tout de blanc vêtu : la couleur de Moby Dick et de la glace à la vanille. Moche.

Je le traînai jusqu'au placard, puis je regardai par la fenêtre grillagée. La nouvelle lune, dans les bras de la vieille, se balançait mollement au-dessus d'une rangée de peupliers. L'herbe était argentée et scintillait. La nuit marchandait nonchalamment avec le soleil. Rien ne permettait de reconnaître cet endroit. Je devais être au deuxième étage de l'immeuble. En bas, à gauche, un carré lumineux indiquait sans doute une fenêtre au rez-de-chaussée, avec quelqu'un derrière.

Je sortis de la pièce et étudiai le couloir. Tout au bout, un mur avec une fenêtre grillagée. Quatre autres portes, deux de chaque côté. Probablement des chambres qui débouchaient, comme la mienne, sur d'autres portes. J'allai à la fenêtre : d'autres jardins, d'autres arbres, la même nuit, rien de neuf en somme. Je fis volte-face et pris la direction opposée.

Des portes, encore des portes. Aucune lumière en dessous. Un seul bruit : celui de mes pas, à cause des chaussures empruntées. Trop grandes.

Ma montre-bracelet m'apprit qu'il était 5 h 44. J'avais caché le montant métallique dans ma ceinture, sous la blouse blanche. Il y avait un plafonnier à peu près tous les sept mètres qui donnait une lumière d'environ quarante watts.

Je débouchai à droite sur un escalier menant aux étages inférieurs. Je le pris. Il était moquetté et silencieux.

Le premier étage ressemblait au mien : des rangées de chambres. Je continuai.

Lorsque j'atteignis le rez-de-chaussée, je tournai à droite et je cherchai la porte d'où filtrait la lumière.

Le type, en peignoir de bain criard, assis derrière un grand bureau brillant, était en train d'examiner une sorte de registre. Ce n'était pas la salle de garde. Il leva des yeux furieux et gonfla les lèvres pour émettre un hurlement qui resta au fond de sa gorge, peut-être à cause de mon air décidé. Il se redressa rapidement.

Je fermai la porte derrière moi et dis en m'avançant vers lui :

« Bonjour. Ça va mal pour vous. »

Dans ces cas-là, les gens devraient réagir plus vite car il lui fallut trois secondes — le temps que je mis à traverser la pièce — pour me demander :

« Que voulez-vous dire?

— Je veux dire que vous allez être poursuivi en justice pour m'avoir retenu prisonnier sans possibilité de communiquer avec l'extérieur, pour m'avoir mal soigné et avoir usé de narcotiques sans discernement. Je souffre déjà de symptômes de privation et ça peut me conduire à un acte de violence... »

Il se leva.

« Sortez d'ici. »

Je vis un paquet de cigarettes sur son bureau. Je me servis et répondis : « Asseyez-vous et fermez-la. Nous avons à parler. »

Il se rassit mais sans la fermer :

« Vous violez plusieurs règlements, dit-il.

— Nous nous en rapporterons donc à un tribunal pour déterminer les responsabilités. Je veux mes vêtements et mes objets personnels. Je sors.

— Vous n'êtes pas en état...

— On ne vous a rien demandé. Ou vous vous exécutez immédiatement ou vous en répondez devant la justice. »

Il tendit la main vers un bouton posé sur son bureau mais je l'en dissuadai d'une claque sur les doigts.

« Immédiatement! répétai-je. Il fallait appuyer sur ce bouton quand je suis entré. Maintenant c'est trop tard.

— Monsieur Corey, vous me rendez les choses difficiles... »

Corey?

« Je n'ai pas demandé à être admis dans cet établissement, mais bordel j'ai le droit de m'en aller. C'est le moment. Finissons-en.

— Il est évident que vous n'êtes pas en état de quitter cette institution. Je ne puis le permettre. Je vais appeler quelqu'un qui vous ramènera dans votre chambre et vous remettra au lit.

— Je ne vous conseille pas d'essayer, sinon vous apprendrez à vos dépens dans quel état je suis. J'ai plusieurs questions à vous poser. Premièrement : qui m'a fait admettre ici et qui paye la note?

— Très bien », soupira-t-il. Sa fine moustache blond-roux s'affaissa lamentablement.

Il ouvrit un tiroir, y plongea la main, ce qui m'inquiéta aussitôt.

Je le lui fis voler des doigts avant qu'il n'ait eu le temps d'enlever le cran de sécurité : un 32 automatique bien propre. Un colt. J'ôtai le cran de sécurité moi-même en reprenant le joujou sur la table. Je le pointai sur lui en disant : « Vous allez répondre à mes questions. Vous pensez évidemment que je suis dangereux. Vous avez peut-être raison. »

Il sourit faiblement, alluma une cigarette, ce qui était une erreur s'il voulait faire preuve de calme : sa main tremblait.

« D'accord Corey... si ça peut vous rendre heureux. C'est votre sœur qui vous a fait entrer ici. »

?, pensai-je.

« Quelle sœur? demandai-je.

— Evelyn. »

Aucun tilt. « C'est ridicule, je n'ai pas vu Evelyn depuis des années. Elle ne savait même pas que j'étais dans le coin. »

Il haussa les épaules.

« De toute façon...

— Où habite-t-elle maintenant? Je veux lui téléphoner.

— Je n'ai pas son adresse sous la main.

— Cherchez-la. »

Il se leva, alla vers un classeur, l'ouvrit, consulta des fiches, en sortit une.

J'y lus : *Mme Evelyn Flaumel...* L'adresse de New York ne m'était pas familière non plus, mais je la retins de mémoire. La fiche m'apprit que mon prénom était Carl. Bien. Encore une information.

Je glissai le revolver dans ma ceinture, après avoir remis le cran de sécurité, bien sûr.

« Bon. Où sont mes vêtements et combien allez-vous me payer?

— Vos vêtements ont été abîmés dans l'accident, dit-il, et je dois dous dire que vos jambes ont vraiment été fracturées — la gauche en deux endroits. Franchement, je n'arrive pas à comprendre comment vous pouvez tenir debout. Il y a à peine deux semaines...

— Je guéris toujours très vite. Quant à l'argent...

— Quel argent?

— L'arrangement à l'amiable pour que je ne porte pas plainte pour incurie médicale et le reste.

— Ne soyez pas ridicule.

— Qui est ridicule? Je marche pour mille dollars en liquide, tout de suite.

— Je refuse même d'en discuter.

— Vous feriez mieux de réfléchir, gagnant ou perdant, pensez à la réputation qu'aura cet établissement si je donne suffisamment de publicité à l'affaire avant le procès. Je ne manquerai pas de prendre contact avec l'AMA [1], les journaux, les...

1. *AMA :* Association des médecins américains.

— Chantage! Je n'y céderai pas.

— Payez maintenant ou payez plus tard, après le procès, ça m'est égal. Mais ma proposition vous coûtera moins cher. »

S'il accepte, je saurai que j'ai deviné juste et qu'il y a quelque chose de louche.

Il me regarda d'un air furieux pendant un moment.

Puis finalement : « Je n'ai pas mille dollars ici.

— Combien offrez-vous pour un compromis? »

Après une autre pause : « C'est du vol.

— Pas dans le cas qui nous occupe, mon vieux. Un chiffre?

— J'ai peut-être cinq cents dollars dans mon coffre.

— Allez les chercher. »

Il me dit, après avoir regardé dans un coffre mural qu'il n'y avait que quatre cent trente dollars. Je ne voulais pas laisser d'empreintes sur le coffre dans le seul but de vérifier ses dires. J'acceptai donc et fourrai les billets dans ma poche.

« Bien. Quelle est la station de taxis la plus proche? »

Il me le dit. Je consultai l'annuaire. Je sus que je me trouvais en grande banlieue nord.

Je l'obligeai à téléphoner pour appeler un taxi parce que je ne connaissais pas le nom du lieu où nous étions, et je ne voulais pas qu'il se doute que ma mémoire flanchait. L'un des pansements dont je m'étais débarrassé m'entourait, à l'origine, la tête.

Pendant qu'il donnait l'adresse au taxi, j'entendis le nom de l'établissement : Hôpital privé Greenwood.

J'éteignis ma cigarette, en pris une autre, et sentis mes jambes s'alléger d'au moins cent kilos quand je m'assis dans un grand fauteuil brun capitonné, près de la bibliothèque.

« On l'attend ici et vous me conduisez à la porte », dis-je.

Il ne prononça plus un mot.

2.

Il était environ 8 heures lorsque le taxi m'a déposé au coin du patelin le plus proche. J'ai payé le chauffeur et j'ai marché pendant vingt minutes environ. Je suis entré dans un restaurant. J'ai commandé un jus de fruits, deux œufs, des toasts, du bacon et trois tasses de café. Le bacon était trop gras.

Le petit déjeuner m'a pris une bonne heure. Puis je suis reparti. J'ai attendu jusqu'à 9 heures et demie l'ouverture d'un magasin de vêtements. Je suis entré. Je me suis acheté deux pantalons, trois chemises sport, une ceinture, quelques sous-vêtements, une paire de chaussures à ma pointure. J'ai pris également un mouchoir, un portefeuille et un peigne de poche.

Puis j'ai cherché une station d'autocars Greyhound. Je suis monté dans celui qui allait vers New York. Personne n'a essayé de m'en empêcher. Personne ne semblait me chercher.

Tandis que je regardais la campagne parée de ses couleurs automnales, balayée par des rafales de vent vif sous un ciel clair et froid, j'ai récapitulé tout ce que je savais de moi-même et de mes affaires.

Ma sœur, Evelyn Flaumel, m'avait fait admettre à Greenwood sous le nom de Carl Corey, à la suite d'un accident d'auto remontant à environ quinze jours, accident au cours duquel je m'étais fracturé les jambes, mais je m'en étais remis. Je ne me souvenais plus de ma sœur Evelyn. Les gens de Greenwood avaient reçu des instructions pour me garder dans un état de passivité absolue et avaient eu peur lorsque je les avais menacés d'un procès. Quelqu'un avait donc peur de moi pour une raison quelconque. J'allais jouer cette carte, on verrait bien.

Je me suis obligé à revenir à l'accident, à y repenser jusqu'à en avoir des battements de cœur. Ce n'était pas un accident. J'en avais l'impression mais sans savoir pourquoi. Il fallait découvrir la vérité et faire payer le fautif. Très, très cher. Je sentis une terrible colère monter du plus profond de moi. Celui qui avait essayé de me faire du mal, de se servir de moi, l'avait fait à ses risques et périls. Il allait recevoir son dû. Quel qu'il soit. J'avais une envie folle de tuer, de détruire celui ou celle qui était responsable. Ce n'était pas la première fois de ma vie que je ressentais cette envie, je le savais. Je savais aussi que les autres fois, je ne l'avais pas refoulée. Plusieurs autres fois.

Je regardai par la fenêtre et je vis tomber les feuilles mortes.

En arrivant à New York, j'ai commencé par me faire raser et couper les cheveux dans le plus proche salon de coiffure. Puis j'ai changé de chemise et de tee-shirt dans les lavabos, parce que je ne supporte pas d'avoir des cheveux dans le dos. Le 32 automatique, qui appartenait à l'individu anonyme de Greenwood, était dans la poche droite de ma veste. Si Greenwood ou ma sœur voulaient me cueillir vite fait, ils n'avaient qu'à prévenir la police que je m'étais échappé d'une clinique psychiatrique, et le tour serait joué. Je décidai de tenter quand même le coup. Il fallait d'abord qu'ils me trouvent, et je voulais savoir. J'ai déjeuné rapidement, puis j'ai pris des autobus et des métros pendant une heure, un taxi enfin qui m'a conduit à Westchester, l'adresse d'Evelyn, ma sœur présumée, seule espérance pour me rafraîchir la mémoire.

Avant d'arriver, j'avais déjà décidé de la tactique à suivre.

Lorsque la porte de l'immense vieille maison s'est ouverte, trente secondes environ après que j'ai sonné, je savais exactement ce que j'allais dire. J'y avais réfléchi en remontant la longue allée sinueuse, couverte de gravier blanc, entre les chênes sombres et les érables éclatants, tandis que les feuilles mortes craquaient sous mes pas. L'odeur de ma lotion capillaire se mêlait à celle du lierre moisi qui couvrait les murs de cette ancienne maison de brique. Aucun sentiment de familiarité. Je ne pensais pas être jamais venu là.

J'ai sonné.

J'ai attendu, les mains dans les poches.

Quand la porte s'est ouverte, j'ai souri en faisant un signe de tête à l'intention d'une soubrette au teint basané moucheté de taches de rousseur et à l'accent portoricain.

« Oui? dit-elle.

— Pourrais-je parler à Mme Evelyn Flaumel, je vous prie?

— Qui dois-je annoncer?

— Son frère, Carl.

— Oh! entrez s'il vous plaît! »

J'entrai dans le hall : sol de mosaïque saumon et turquoise, murs d'acajou, grandes choses vertes à grosses feuilles servant de séparation avec le salon. Au plafond, cube de verre et d'émail, répandant une lumière jaune.

La fille disparut. Je cherchai autour de moi un objet familier.

Rien.

J'attendis.

La bonne revint peu après, sourit, fit un signe de tête et dit :

« Veuillez me suivre s'il vous plaît. Madame va vous recevoir dans la bibliothèque. »

Je suivis, montai trois marches et longeai un corridor en passant devant deux portes fermées. La troisième, sur ma gauche, était ouverte. La bonne m'indiqua que je pouvais entrer. Je m'arrêtai sur le seuil.

Comme toutes les bibliothèques, celle-ci était pleine de livres. Elle contenait également trois tableaux, deux paysages tranquilles et une marine paisible. Au sol, une épaisse moquette verte. Il y avait un grand globe terrestre à côté du bureau. L'Afrique me faisait face. Derrière, une baie qui occupait le mur entier, et huit escabeaux de verre. Mais ce n'était pas pour ça que je m'étais arrêté.

La femme qui était derrière le bureau portait une robe bleu-vert à large col se terminant par un décolleté en pointe. Elle avait de longs cheveux frangés sur le front, d'une couleur à mi-chemin entre les nuages au coucher du soleil et la flamme d'une bougie dans une pièce obscure. Couleur naturelle, je le sentais sans savoir pourquoi. Derrière des lunettes dont elle n'avait aucun besoin, j'en étais sûr, ses yeux étaient aussi bleus que le lac Érié à 3 heures de l'après-midi par un été sans nuages. La couleur de son sourire pincé était assortie à ses cheveux. Mais ce n'était pas pour ça que je m'étais arrêté.

Je la connaissais. Je l'avais vue quelque part. Sans pouvoir dire où.

Je m'avançai, toujours souriant.

« Salut.

— Assieds-toi, » dit-elle en m'indiquant un grand fauteuil à haut dossier orange, exactement le genre où j'adorais me vautrer.

Je m'assis. Elle me regarda attentivement.

« Contente de voir que tu es debout et en bonne forme.

— Moi aussi. Comment vas-tu?

— Bien, merci. J'avoue que je ne m'attendais pas à te voir ici.

— Je sais, mentis-je, mais je suis venu te remercier de ta gentillesse et de tes soins fraternels. »

Je mis une légère note d'ironie dans ma phrase, juste pour voir sa réaction.

Un chien énorme entra dans la pièce — un lévrier irlandais — et se coucha en rond devant le bureau. Un autre le suivit et fit deux fois le tour du globe avant de se coucher.

« C'est la moindre des choses », dit-elle en me renvoyant l'ironie. « Tu devrais conduire avec plus de prudence.

— A l'avenir, je ferai attention, c'est promis. »

Je ne savais pas à quelle sorte de jeu je jouais, mais puisqu'elle ne savait pas que je ne savais pas, je décidai de tirer d'elle le maximum d'informations.

« J'ai pensé que tu serais curieuse de savoir comment j'allais. Je suis donc venu pour que tu te rendes compte de visu.

— Je l'étais... le suis, répondit-elle. As-tu mangé?

— Légèrement. Il y a quelques heures. »

Elle sonna la bonne, demanda quelque chose à manger. Puis : « Je me doutais bien que tu déciderais toi-même de quitter Greenwood dès que tu le pourrais. Mais je ne croyais pas que ce serait si tôt. Je ne pensais pas non plus que tu viendrais ici.

— Je sais, c'est pourquoi je l'ai fait. »

Elle m'offrit une cigarette. J'acceptai. J'allumai la sienne puis la mienne.

« Tu as toujours été imprévisible, me dit-elle. Ça t'a beaucoup servi dans le passé. Cette fois-ci tu ne devrais pas compter dessus.

— C'est-à-dire?

— Les mises sont beaucoup trop fortes pour bluffer. C'est ce que tu essaies de faire, je pense, en venant ici. J'ai toujours admiré ton courage, Corwin, mais ne fais pas l'idiot. Tu connais l'enjeu. »

Corwin? Classe ça avec « Corey ».

« Peut-être pas, dis-je. J'ai dormi un assez long moment, ne l'oublie pas.

— Tu veux dire que tu n'as pris aucun contact?

— Je n'en ai pas eu le temps depuis mon réveil. »

Elle pencha la tête de côté et ferma à demi ses yeux splendides.

« Téméraire, mais possible. Seulement possible. Tu pourrais dire la vérité. Tu pourrais. Pour l'instant, je prétendrai donc te croire. Dans ce cas tu as été malin et prudent. Laisse-moi réfléchir. »

Je tirai des bouffées de ma cigarette, espérant qu'elle dirait quelque chose de plus. Elle n'en fit rien. Je décidai donc de tirer parti de ce qui semblait être un avantage obtenu en jouant à un jeu que je ne comprenais pas, contre des joueurs que je ne connaissais pas, pour un enjeu dont je n'avais pas la moindre idée.

« Si je suis ici, ça veut dire quelque chose.

— Je sais, dit-elle, mais tu es malin. Ça peut donc vouloir dire plusieurs choses. Attendons, on verra. »

Attendre quoi? Voir quoi? Quelle chose?

Les steaks arrivèrent arrosés d'un pichet de bière. Ce qui me dispensa pendant un temps d'émettre des généralités sibyllines pour qu'elle les médite et les trouve subtiles. Le steak était bon, rose à l'intérieur et juteux. Je mordis dans l'épaisse croûte de pain et bus la bière goulûment. Elle rit en me regardant. Elle coupait son steak en petits morceaux.

« J'aime ta façon de mordre dans la vie, Corwin. C'est en partie pour ça que je détesterais te voir lui fausser compagnie.

— Moi aussi », marmonnai-je.

Je la regardai tout en mangeant. Je crus la voir dans une robe décolletée, verte comme la mer, avec une jupe large. Il y avait de la musique, un bal, des voix derrière nous. Je portais des vêtements noir et argent, et... La vision se dissipa. C'était un lambeau de vrai souvenir, j'en étais convaincu. Je me maudissais intérieurement de ne pouvoir le saisir dans son ensemble. Je portais mon costume noir et argent. Que m'avait-elle dit cette nuit-là, dans sa robe verte, au milieu de la musique, du bal et des voix?

Je remplis de nouveau mon verre et décidai de savoir si la vision était vraie.

« Je me souviens d'une nuit. Tu étais vêtue de vert, moi de mes couleurs. Comme tout paraissait charmant — et la musique... »

Une expression de légère nostalgie passa sur son visage. Ses joues s'adoucirent.

« Oui, dit-elle, c'étaient les beaux jours... Tu n'as vraiment pris aucun contact?

— Parole d'honneur », dis-je (pour ce que ça me coûtait!).

« Les choses se sont aggravées. Les Ombres révèlent beaucoup plus d'horreurs qu'on n'en imaginait...

— Et...?

— Il a toujours ses ennuis.

— Oh!

— Oui, continua-t-elle. Il veut savoir où tu te trouves.

— Ici.

— Tu veux dire...?

— Pour l'instant. » Je répondis un peu vite peut-être car ses yeux s'étaient trop élargis. J'ajoutai, sans trop savoir ce que ça voulait dire : « Puisque j'ignore toujours comment les choses ont évolué.

— Oh! »

Nous avons terminé nos steaks, bu la bière, et donné les os aux chiens.

Nous avons bu du café à petites gorgées. Je commençais à me sentir un peu fraternel. Mais je me repris.

« Et les autres? » demandai-je, ce qui pouvait signifier n'importe quoi tout en me laissant une marge de sécurité.

Je craignis qu'elle me demande ce que je voulais dire. Mais elle se renversa dans son fauteuil, fixa le plafond et répondit :

« Comme toujours, personne n'a donné signe de vie. Peut-être ta façon de faire a-t-elle été la plus sage. Elle m'amuse personnellement. Mais comment peut-on... oublier la gloire? »

Je baissai les yeux, ne sachant pas très bien ce qu'ils devaient refléter.

« On ne peut pas. On ne peut jamais. »

Suivit un long silence gênant au bout duquel elle dit :

« Tu me hais?

— Bien sûr que non. Comment pourrais-je... tout bien considéré? »

Cela sembla lui plaire. Elle montra ses dents qu'elle avait très blanches.

« Très bien. Et merci. Tu es un gentleman, malgré tout. »

Je m'inclinai en minaudant.

« Tu vas me faire perdre la tête.

— Difficile, dit-elle. Tout bien considéré. »

Je me sentis gêné.

Ma colère était toujours présente. Je me demandai si elle savait pour qui je devais la réserver. Oui, j'en étais certain. Je faillis le lui demander tout de go. Je me retins.

« Bon. Que proposes-tu? » reprit-elle.

J'évitai le piège :

« Bien sûr, tu n'as pas confiance...

— Comment pourrions-nous? »

Il fallait se souvenir de ce *nous*.

« Très bien. Pour l'instant, je désire me placer sous ta surveillance. Je serai heureux de rester ici. Tu auras l'œil sur moi.

— Et après?

— Après? Nous verrons.

— Habile, dit-elle. Très habile. Et tu me places dans une position gênante. » (J'avais dit ça parce que je ne savais pas où aller, et que l'argent obtenu par chantage ne durerait pas longtemps.) « Oui, bien sûr, tu peux rester. Mais je t'avertis (elle se mit à tripoter ce que j'avais d'abord pris pour une espèce de pendentif suspendu à son cou au bout d'une chaîne) c'est un sifflet à ultra-sons pour chiens, tous dressés à prendre soin des gens désagréables, et ils réagissent tous à mon sifflet. Alors ne t'aventure pas là où ta présence n'est pas souhaitable. Un coup de sifflet ou deux et ils te mettront par terre. Même toi. S'il n'y a plus de loups en Irlande, c'est à cause d'eux.

— Je sais, dis-je sincèrement.

— Ça plaira à Eric de savoir que tu es mon invité, reprit-elle. Ça le disposera à te laisser tranquille. C'est ce que tu cherches, *n'est-ce pas *?*

— *Oui.* »

Eric! Ça me disait quelque chose! J'avais connu un Eric. Le fait de l'avoir connu avait été important. Pas récemment. Mais cet Eric que j'avais connu était toujours dans les parages, et ça, c'était important.

Pourquoi?

Première raison : je le haïssais. Je le haïssais suffisamment pour avoir voulu le tuer. J'avais peut-être même essayé. Il y avait aussi une sorte de lien entre nous, je le savais. Une parenté?

Oui, c'était ça. Ni l'un ni l'autre n'aimions le fait d'être... frères.

... Je me souvenais, je me souvenais...

Grand, puissant Eric, avec sa barbe stupide et ses yeux... exactement ceux d'Evelyn!

Un flot de souvenirs me fit battre les tempes et m'enflamma brusquement la nuque.

Je gardai un visage impassible, mais je m'obligeai à tirer une autre bouffée de ma cigarette et à boire une gorgée de bière, car Evelyn était effectivement ma sœur! Sous un autre prénom. Impossible de me souvenir lequel, mais ce n'était pas Evelyn. Il fallait être prudent. N'utiliser aucun prénom en m'adressant à elle, jusqu'à ce que j'aie trouvé le bon.

Et moi, qu'est-ce que je devenais? Qu'est-ce qui pouvait bien se fabriquer autour de moi?

Je pris brusquement conscience qu'Eric avait quelque chose à voir avec l'accident. Un accident qui aurait dû être fatal. Je m'en étais pourtant tiré. C'était lui. Ça ne pouvait être que lui. Evelyn était sa complice, payait Greenwood pour qu'on me maintienne dans le coma. Ça valait mieux que d'être mort, mais...

* En français dans le texte.

Je compris que je m'étais mis entre les mains d'Eric en venant chez Evelyn, et que j'étais son prisonnier, et que si je restais, je ne pourrais pas me défendre contre une nouvelle attaque.

Elle m'avait dit que le fait d'être son invité le prédisposerait à me laisser tranquille. Je n'en étais pas sûr. Je ne pouvais pas me permettre de prendre tout ce qu'on me disait pour de l'argent comptant. Il fallait rester constamment sur mes gardes. Pourquoi ne pas m'en aller simplement, et attendre que la mémoire me revienne peu à peu?

Mais j'étais tenaillé par un besoin impératif : découvrir toute l'histoire le plus vite possible et agir de même. C'était une nécessité absolue et sans appel. Si le prix de la mémoire était le danger et celui de l'occasion, le risque, alors qu'il en soit ainsi. Je resterais.

« ... Et je me souviens », dit Evelyn (elle était en train de parler depuis un moment mais je ne l'écoutais pas. Peut-être à cause des mots qu'elle prononçait qui n'appelaient pas de réponses particulières — à cause aussi de la rapidité de mes pensées), « et je me souviens du jour ou tu as battu Julian à son jeu favori. Il t'avait jeté un verre de vin en te maudissant. Mais tu as récolté le prix de l'enjeu. Soudain il a eu peur d'être allé trop loin. Mais tu as ri et bu un verre avec lui. Je crois qu'il s'est senti honteux de s'être mis en colère, lui si calme généralement. Je pense qu'il était jaloux de toi ce jour-là. Tu te souviens? Depuis je crois qu'il a cherché à t'imiter jusqu'à un certain point. Mais je le hais toujours. J'espère qu'il ne fera pas de vieux os. Je sens qu'il... »

Julian, Julian, Julian. Oui et non. Le vague souvenir d'un jeu : harceler un homme pour ébranler son calme légendaire. J'éprouvais un certain sentiment de familiarité, mais je ne parvenais pas à préciser ce qu'avaient été les tenants et les aboutissants de l'affaire.

« Et Caine, la manière dont tu l'as mystifié, *lui!* Il te hait encore, tu sais... »

Je me rendis compte que je n'étais pas très aimé. Ça n'était pas pour me déplaire.

Caine aussi était un prénom familier. Les prénoms tournoyaient dans ma tête. C'était plus qu'elle n'en pouvait supporter.

« Ça fait si longtemps... » dis-je, presque involontairement, comme si quelque chose m'y poussait.

« Parlons net, Corwin. Tu veux plus que la sécurité, je le sais. Je sais aussi que tu es assez fort pour tirer parti de cette situation si tu joues bien ton jeu. Je ne peux pas deviner ce que tu as en tête, mais nous pouvons faire un marché avec Eric. »

Ce *nous* avait curieusement changé de sens, c'était évident. Elle avait fini par conclure que je pouvais lui être d'une quelconque utilité dans ce qui se préparait. Elle avait découvert en moi une chance de gagner quelque chose pour elle, ça devenait flagrant. Je souris légèrement.

« Si tu es venu ici, c'est pour ça, continua-t-elle, as-tu une proposition à faire à Eric, quelque chose qui nécessite un intermédiaire?

— Peut-être, mais il faut y réfléchir plus sérieusement. Je suis à peine remis de mon accident. J'ai besoin d'y penser plus à fond. Je voulais être dans le meilleur endroit possible pour agir vite si je décidais de m'entendre avec Eric au mieux de mes intérêts.

— Fais attention. Tu sais que je lui rapporte tout.

— Je sais. » Je ne savais rien et cherchais désespérément une échappatoire. « Sauf si tes intérêts rejoignent les miens. »

Elle fronça les sourcils. Des petites rides apparurent sur son front.

« Je ne suis pas sûre de très bien comprendre ce que tu me proposes.

— Je ne propose rien. Je veux simplement être ouvert et franc avec toi. Je dis : peut-être. Je ne suis pas encore tout à fait sûr de vouloir conclure un marché avec Eric. Après tout... »

Je laissai à dessein la phrase en suspens, ne sachant pas du tout comment l'achever.

« On t'a offert une alternative? » Elle se leva brusquement, saisit son sifflet. « Bleys! Bien sûr!

— Assieds-toi et ne sois pas ridicule. Je ne suis pas venu me mettre aussi tranquillement entre tes mains avec autant de bonne volonté, dans le seul but de servir de pâture à tes chiens parce que tu penses à Bleys. »

Elle se détendit, s'affaissa même un peu, et finit par se rasseoir.

« Peut-être pas. Mais je sais que tu es joueur, et que tu es perfide. Si tu es venu ici pour te débarrasser d'un partisan d'Eric, inutile d'essayer. Je ne suis pas assez importante. Tu devrais le savoir maintenant. D'ailleurs, j'ai toujours pensé que tu m'aimais bien.

— C'était vrai. Ça l'est encore. Ne te fais aucun souci pour quoi que ce soit. Rassure-toi. Je trouve pourtant intéressant que tu parles de Bleys. »

Appâte, appâte, mon vieux! Il y avait tant de choses que je voulais savoir!

« Pourquoi? Il t'a contacté?

— J'aimerais mieux ne pas en parler. » J'espérais trouver une issue quelconque. Je connaissais maintenant à quel genre grammatical appartenait Bleys : « S'il l'avait fait, je lui aurais répondu la même chose qu'à Eric : je réfléchirai.

— Bleys », répéta-t-elle. (*Bleys*, dis-je en moi-même, *Bleys, je t'aime bien. Je ne sais plus pourquoi, et pour certaines raisons je ne devrais pas t'aimer, mais je t'aime bien, je le sais.*)

Nous n'avons pas soufflé mot pendant un moment. Je sentais la fatigue mais je ne voulais pas la montrer. Il fallait être fort. Très fort. Je souris et dis : « Tu as là une jolie bibliothèque. » Elle répondit : « Merci.

« Bleys, répéta-t-elle au bout d'un moment, tu crois vraiment qu'il a une chance? »

Je haussai les épaules.

« Qui peut savoir? Pas moi en tout cas. Peut-être en a-t-il une. Peut-être non. »

Elle me regarda fixement, les yeux légèrement agrandis.

« Pas toi? Tu n'as pas l'intention d'essayer? »

Je me mis à rire uniquement pour stopper net son inquiétude.

« Ne fais pas l'idiote. Moi? »

En disant ça, elle avait touché une corde sensible enfouie au plus profond de moi, ignorée, mais qui réagit par un puissant « Pourquoi pas? ».

Brusquement j'avais peur.

Ce reniement que je venais de faire, sans savoir ce que je reniais, parut la soulager. Elle sourit et me montra un bar sur la gauche.

« Je prendrais bien un verre.

— Moi itou », répondis-je. J'allai en prendre deux et revins m'asseoir. Je dis : « C'est agréable d'être là, comme ça avec toi, même si ça n'est pas pour longtemps. Ça me rappelle des souvenirs. »

Elle eut un charmant sourire.

« C'est vrai, dit-elle en vidant son verre. J'ai presque l'impression d'être en Ambre depuis que tu es là. » Je faillis laisser tomber mon verre.

Ambre! Ce mot m'avait traversé la colonne vertébrale comme un coup de foudre!

Elle se mit à pleurer. Je me levai, lui entourai les épaules pour la consoler.

« Je t'en prie petite fille, ne pleure pas, dis-je doucement. Ça me rend malheureux moi aussi. » (*Ambre! Il y avait là quelque chose, quelque chose d'électrique et de puissant!*) « Il y aura d'autres jours heureux.

— Tu le crois vraiment?

— Oui, dis-je avec force. Oui, je le crois !

— Tu es fou. C'est peut-être pour ça que tu as toujours été mon frère préféré. Je sais que tu es fou, mais j'arrive à croire pratiquement tout ce que tu dis. »

Elle pleura encore un peu, s'arrêta.

« Corwin, si tu réussis — si par une chance extraordinaire et fantastique extra-Ombre tu devais réussir — te souviendras-tu de ta petite sœur Florimel?

— Oui », dis-je, et je sus que c'était son véritable prénom. « Oui je me souviendrai de toi.

— Merci. Je ne dirai à Eric que l'essentiel. Je ne ferai pas la moindre allusion à Bleys, ni à mes derniers soupçons.

— Merci Flora.

— Mais je n'ai pas confiance en toi pour un sou. Ne l'oublie pas.

— Ça va sans dire. »

Elle appela sa bonne et me fit conduire à ma chambre. Je réussis à me déshabiller, m'écroulai sur un lit, et dormis onze heures d'affilée.

3.

Le lendemain matin, elle était partie sans laisser de message. La bonne me servit mon petit déjeuner dans la cuisine et s'en alla vaquer à ses occupations. Je repoussai l'idée d'obtenir d'elle des informations : ou elle ne savait rien, ou elle ne me dirait pas ce que je voulais savoir et s'empresserait de tout raconter à Flora. Je pouvais aller et venir librement dans la maison. Je décidai donc de retourner à la bibliothèque pour voir ce que je pouvais y apprendre. De toute façon, j'adore les bibliothèques. Leurs murs de mots, beaux et sages, dressés autour de moi, me donnent un sentiment de confort et de sécurité. Je me sens toujours beaucoup mieux lorsqu'il y a quelque chose qui fait reculer l'ombre.

Donner ou Blitzen, ou quelqu'un de la famille, fit son apparition et me suivit dans le couloir, les pattes raides en reniflant sur mes talons. J'essayai de l'amadouer. Autant essayer de plaisanter avec un gendarme qui vous fait signe de vous ranger sur le côté de la route. En passant, je jetai un coup d'œil dans quelques pièces. Rien que des chambres banales.

J'entrai dans la bibliothèque : l'Afrique me faisait toujours face. Je fermai la porte derrière moi pour empêcher les chiens d'entrer et fis un petit tour dans la pièce, en lisant les titres sur les rayonnages.

Il y avait beaucoup de livres d'histoire. En fait c'étaient les plus nombreux. Beaucoup de livres d'art également, du genre cher et volumineux. J'en feuilletai quelques-uns. C'est toujours en pensant à autre chose que je réfléchis le mieux.

Je me demandais d'où venait la fortune évidente de Flora. Puisque nous étions parents, je jouissais peut-être d'une certaine opulence moi aussi? Je cherchais à me souvenir de ma condition sociale, de ma profession, de mes origines. J'avais le sentiment de n'avoir jamais eu de problèmes d'argent, d'avoir toujours eu ce qu'il me fallait, ou les moyens de me procurer ce qu'il me fallait. Je possédais peut-être une grande maison comme celle-ci? Je n'arrivai pas à m'en souvenir.

Quelle était ma profession?

Je m'assis derrière le bureau et passai ma mémoire au peigne fin pour tenter de découvrir les souvenirs qui pouvaient s'y cacher. Difficile de faire ce genre d'examen sur moi-même, comme si on était un étranger. C'est sans doute pour ça que je ne suis arrivé à rien. Ce qui est à soi est à soi, fait partie de soi, fait corps avec votre être interne. Voilà tout.

Médecin? L'idée me vint en regardant des planches anatomiques de Léonard de Vinci. Presque par réflexe, je me mis à accomplir, en esprit, les gestes nécessaires à une opération chirurgicale. J'avais conscience d'avoir opéré des gens dans le passé.

Ce n'était pourtant pas ça. J'avais effectivement une formation médicale, mais ça faisait partie d'autre chose. J'avais la certitude, Dieu seul sait comment, de ne pas avoir été un chirurgien en exercice. Alors quoi? Qu'y avait-il d'autre?

Sur le mur qui me faisait face un antique sabre de cavalerie était accroché, que j'avais à peine remarqué la veille. Je me levai pour le décrocher.

Il était dans un état qui me fit pitié. J'aurais voulu avoir un chiffon gras et une pierre à aiguiser pour lui rendre son éclat. Je m'y connaissais en armes anciennes, les armes blanches en particulier.

Le sabre semblait léger et efficace dans ma main. Je sentais que je savais m'en servir. Je me mis en garde. Je parai et me fendis pendant quelques instants. Oui, je savais m'en servir.

Bon, ça menait à quoi? Je regardai autour de moi pour découvrir d'autres « rafraîchisseurs » de mémoire.

Rien n'attira mon attention. Je remis le sabre à sa place et revins m'asseoir derrière le bureau. Je décidai d'en faire l'inventaire.

J'ouvris d'abord le tiroir du milieu, puis ceux de gauche, enfin ceux de droite.

Fournitures de bureau, enveloppes, timbres-poste, trombones, bouts de crayons, rouleau de papier adhésif — tous les objets habituels.

J'avais sorti chaque tiroir et l'avais posé sur mes genoux pour en inventorier le contenu. Je ne faisais pas des gestes gratuits. Ça faisait partie d'un entraînement que j'avais suivi autrefois qui m'avait appris à tout inspecter, les côtés comme le dessous.

Un détail faillit m'échapper, mais au dernier moment retint mon attention : le côté qui formait le fond du dernier tiroir, côté droit, n'avait pas la même hauteur que celui des autres tiroirs.

Ça signifiait quelque chose. Je m'agenouillai et regardai dans l'espace vide : une sorte de boîte était fixée tout au fond, en haut.

Un autre petit tiroir. Fermé à clé.

Je perdis une minute à essayer de le forcer avec un trombone, avec une épingle à nourrice et avec un chausse-pied en métal que j'avais découvert dans un autre tiroir. Le chausse-pied fit l'affaire.

Le petit tiroir contenait un paquet de cartes à jouer.

Le paquet était orné d'un emblème qui eut pour effet de me paralyser brusquement, le front inondé de sueur, la respiration haletante.

Licorne sur champ herbeux, rampante, tournée vers la dextre.

Cet emblème m'était familier mais je ne parvenais pas à le reconnaître et ça me rendait malade.

J'ouvris le paquet et tirai les cartes. Elles étaient faites sur le modèle des tarots, avec les bâtons, les deniers, les coupes et les épées, mais les figures étaient différentes.

Je remis les tiroirs en place en faisant bien attention à ne pas fermer le petit, et je continuai mon inspection.

Les figures avaient presque l'air vivantes, prêtes à s'élancer hors de leurs prisons glacées. Les cartes étaient froides au toucher. Je les manipulai avec plaisir. J'avais possédé les mêmes autrefois, je m'en souvenais maintenant.

Je les ai étalées devant moi, sur le buvard.

La première représentait un petit homme rusé, avec un nez pointu, une bouche rieuse et une tignasse blond paille. Il était vêtu d'une sorte de costume Renaissance orange, rouge et brun. Il portait un haut-de-chausses et un pourpoint brodé, très ajusté. Je le connaissais. Il s'appelait Random.

La suivante, c'était Julian, avec son air placide, ses cheveux longs et sombres, ses yeux bleus n'exprimant ni passion ni compassion. Il était enfermé dans une cotte de mailles blanche, non pas couleur d'argent ou d'acier, plutôt émaillée. Je savais cependant qu'elle était extrêmement dure et résistante, et ne servait pas seulement à l'apparat. Julian était l'homme que j'avais battu à son jeu favori et qui, par dépit, m'avait jeté un verre de vin. Je le connaissais et le haïssais.

Caine vint ensuite, teint basané, yeux sombres, vêtu de satin noir et vert, un tricorne foncé crânement posé sur la tête, un panache de plumes flottant dans le dos. Il se tenait de profil, une main sur la hanche, le bout des bottes relevé, une dague garnie d'émeraudes passée à la ceinture. Mon cœur était partagé.

Eric vint après lui, beau selon les normes admises, avec des cheveux d'un noir presque bleu. Une barbe entourait sa bouche toujours souriante. Il était vêtu d'une simple tunique de cuir avec des jambières, un manteau, des cuissardes noires, une ceinture rouge d'où pendait un long sabre argenté attaché par un rubis. Le col du manteau qui entourait son visage était doublé de rouge, comme la garniture de ses manches. Ses mains, dont les pouces étaient passés sous la ceinture, étaient terriblement fortes et bien dessinées. Une paire de gants noirs dépassait de la hanche droite. C'était lui, j'en étais sûr, qui avait essayé de me tuer le jour où j'avais failli mourir. Je l'étudiai : il me fit un peu peur.

Ensuite Benedict, grand, froid et mince. Mince de corps, mince de visage, large d'esprit. Vêtu d'orange, de jaune et de brun. Il me faisait penser à des fanes, à des courges, à des épouvantails, à la *Légende de Rip Van Winkle*. Il avait une longue et forte mâchoire, des yeux noisette, des cheveux bruns et raides. Il se tenait à côté d'un cheval couleur feu et s'appuyait sur une lance ornée d'une guirlande de fleurs. Il riait rarement. Je l'aimais bien.

En découvrant la carte suivante, je m'arrêtai avec un haut-le-corps. Mon cœur battit la chamade comme s'il voulait sortir de ma poitrine.

C'était moi.

Exactement le moi que je voyais dans le miroir en me rasant. Yeux verts, cheveux noirs, vêtu de noir et d'argent. Je portais un manteau que le vent faisait flotter légèrement, des bottes noires comme celles d'Eric. J'avais un sabre moi aussi, mais le mien était plus lourd et moins long que le sien. Je portais des gants tissés de fils d'argent. L'agrafe de mon manteau représentait une rose d'argent.

Moi, Corwin.

Sur la carte suivante, un homme, grand et puissant, me considérait. Il me ressemblait beaucoup, mais sa mâchoire était plus forte que la mienne. Je savais qu'il était plus grand que moi, et plus lent. Sa force était légendaire. Il était vêtu d'une robe de chambre bleu et gris, serrée à la taille par une large ceinture noire. Il riait. Un cor de chasse en argent pendait à son cou, suspendu à un large cordon. Il avait une barbe en collier et une fine moustache. Dans sa main droite il tenait un gobelet de vin. Je sentis une soudaine affection pour lui. Je me souvins de son nom : c'était Gérard.

Ce fut le tour d'un homme aux cheveux et à la barbe rouge feu, vêtu de soie rouge et orange. Il tenait une épée dans la main droite, un verre de vin dans la gauche, et dans ses yeux bleus comme ceux de Flora et d'Eric, dansait une flamme démoniaque. Son menton n'était pas très prononcé mais couvert de barbe. Son épée était incrustée d'or. Deux grosses bagues à la main droite, une à la main gauche : respectivement, une émeraude, un rubis et un saphir. Je reconnus Bleys.

La figure suivante représentait un homme qui nous ressemblait à Bleys et à moi. Il avait mes traits, quoique plus fins, mes yeux, les cheveux de Bleys et pas de barbe. Il portait un costume de selle vert et montait un cheval blanc qui galopait vers la dextre. Il y avait en lui un mélange de force et de faiblesse, un désir de quête et d'abandon. Mes sentiments étaient mêlés : approbation et désapprobation, affection et répulsion. Il s'appelait Brand. Je l'avais su dès l'instant où j'avais posé les yeux sur lui.

Je m'aperçus en fait que je les connaissais tous très bien, que je me souvenais d'eux, de leurs points forts et de leurs points faibles, de leurs victoires et de leurs défaites.

C'étaient mes frères.

Je pris une cigarette dans une boîte qui était sur le bureau de Flora, l'allumai, me renversai sur le dossier de mon fauteuil et fis le compte de tout ce qui m'était revenu en mémoire.

Ces huit hommes étranges, vêtus d'étranges costumes, étaient mes frères. Je savais que c'était tout à fait normal pour eux d'être vêtus ainsi. Tout à fait normal pour moi de porter du noir et de l'argent. Je ris tout bas en regardant les vêtements que je portais, achetés dans la petite ville où je m'étais arrêté après mon départ de Greenwood.

Mon pantalon était noir. Les trois chemises que j'avais

choisies étaient d'un gris argenté. Ma veste était noire également.

Je revins aux cartes. Je découvris Flora dans une robe aussi verte que la mer, exactement comme dans mes souvenirs de la veille. Je vis ensuite une jeune fille aux cheveux longs et noirs, aux yeux bleus, vêtue de noir, la taille serrée par une ceinture d'argent. Mes yeux s'emplirent de larmes, sans savoir pourquoi. Elle s'appelait Deirdre. Puis Fiona, aux cheveux semblables à ceux de Bleys ou de Brand, aux yeux semblables aux miens, au teint nacré de perle. Je la détestai à l'instant même ou je retournai sa carte. La suivante était Llewella, cheveux assortis au jade de ses yeux, vêtue de gris et de vert chatoyants, avec une ceinture lavande, le tout donnant une impression de moiteur et de tristesse. Elle n'était pas comme nous tous, je le savais. Mais c'était aussi ma sœur.

Devant ces personnages, j'éprouvai un terrible sentiment d'éloignement et d'arrachement. Physiquement pourtant, ils semblaient tout proches de moi.

Les cartes étaient tellement froides sous mes doigts que je fus obligé de les reposer. J'avais pourtant une certaine répugnance à me priver de leur contact.

Il n'y en avait pas d'autres d'ailleurs. Celles qui restaient étaient des cartes mineures. Je savais qu'il en manquait.

Que représentaient ces figures manquantes? Je jure que je l'ignorais.

Cette ignorance me rendit étrangement triste. Je me mis à réfléchir en fumant.

Pourquoi ces souvenirs affluaient-ils si facilement quand je regardais les cartes — pourquoi affluaient-ils sans aucun contexte? Je connaissais maintenant les noms et les visages. C'était à peu près tout.

Je n'arrivais pas à imaginer la signification de ces cartes qui nous représentaient. J'avais cependant l'envie irrésistible d'en posséder un paquet pour moi. Si je volais celui de Flora, elle s'en apercevrait immédiatement et j'aurais des ennuis. Je les remis dans le petit tiroir caché derrière le grand. Puis je me suis torturé la cervelle — torturé à quel point! Dieu seul le sait — mais sans grand résultat.

Jusqu'à ce qu'un mot magique me revienne.

Ambre.

La veille au soir, j'avais été très bouleversé de l'entendre. Tellement bouleversé que depuis j'avais évité d'y repenser. Maintenant je le désirais. Maintenant je le faisais rouler dans ma tête, et j'examinais toutes les associations qui en découlaient.

Il était chargé d'un désir ardent et d'une immense nostalgie. Il cachait tout au fond de lui un sentiment de beauté oubliée, d'accomplissement grandiose, un sentiment de puissance terrible, presque élémentaire. Il appartenait à mon vocabulaire. Il en faisait partie comme il faisait partie de moi. C'était le nom d'une ville. D'une ville que j'avais connue autrefois. Mais aucun souvenir visuel ne me revint. Uniquement des émotions.

Combien de temps suis-je resté ainsi? Je n'en sais rien. Le temps semblait s'être dissocié du cours de mes rêveries.

Au milieu de mes pensées, je finis par entendre qu'on grattait doucement à la porte. La poignée tourna lentement. La bonne, qui s'appelait Carmella, entra et demanda si je voulais déjeuner.

Ça me parut une excellente idée. Je la suivis jusqu'à la cuisine et mangeai la moitié d'un poulet arrosé d'un quart de lait.

Je pris un pot de café et revins à la bibliothèque en évitant les chiens. J'en étais à la seconde tasse quand le téléphone sonna.

J'avais une furieuse envie de décrocher, mais je pensais qu'il devait y avoir des postes auxiliaires dans toute la maison et que Carmella prendrait la communication.

Je me trompais. Il sonnait toujours.

Je ne pus résister plus longtemps.

« Allô?

— Puis-je parler à Mme Flaumel s'il vous plaît? »

C'était une voix d'homme, rapide et légèrement nerveuse, comme à bout de souffle. Ses paroles étaient étouffées, comme ouatées, ce qui indiquait une communication interurbaine.

« Désolé, elle n'est pas là pour le moment. Voulez-vous laisser un message ou un numéro pour qu'elle puisse vous rappeler?

— Qui êtes-vous? »

J'hésitai, puis : « Je m'appelle Corwin.

— Nom de Dieu! » Long silence.

Je commençais à croire qu'il avait raccroché : « Allô? » Il se remit à parler aussitôt.

« Est-elle encore en vie?

— Bien sûr qu'elle est encore en vie! Qui êtes-vous donc bon Dieu?

— Tu ne reconnais pas ma voix, Corwin? C'est Random. Écoute. Je suis en Californie et j'ai des ennuis. J'appelais Flora pour lui demander asile. Tu es avec elle?

— Temporairement.

— Je vois. Acceptes-tu de m'accorder ta protection, Corwin? » Une pause, puis : « Je t'en prie!

— En ce qui me concerne, oui, mais je ne peux pas engager Flora sans la consulter.

— Acceptes-tu de me protéger contre elle?

— Oui.

— Alors ça me suffit, tu es mon homme. Je vais essayer d'aller à New York. Je te rejoindrai par des chemins plutôt détournés. Je ne sais pas combien de temps ça va me prendre. Souhaite-moi bonne chance.

— Bonne chance. »

Un déclic. Je n'entendis plus que le vide de l'espace.

Ainsi ce cher Random avait des ennuis! J'avais le sentiment qu'il ne fallait pas m'en inquiéter outre mesure. Mais il était l'une des clés de mon passé, et très probablement de mon avenir. J'avais donc tout intérêt à l'aider par tous les moyens possibles, jusqu'à ce que j'apprenne de lui tout ce dont j'avais besoin. Je savais qu'il n'existait entre nous aucun amour fraternel. Je savais aussi qu'il avait oublié d'être bête (homme de ressource, perspicace, curieusement sentimental pour les choses les plus inattendues), que sa parole ne valait pas un pet de lapin et qu'il était capable de vendre mon corps à une faculté de médecine s'il pensait en tirer un maximum d'argent. Je me souvenais très bien de ce petit salaud, avec une légère pointe d'affection, sans doute à cause des bons moments que nous avions dû passer ensemble. Mais quant à lui faire confiance, jamais. Je décidai d'attendre la dernière minute pour prévenir Flora de son arrivée. Je pouvais m'en servir comme d'un as, à la rigueur d'un valet.

Je versai donc un peu de café chaud dans ma tasse et le but lentement.

Qui fuyait-il?

Certainement pas Eric : il n'aurait pas appelé chez Flora. En apprenant que j'étais là, pourquoi avait-il demandé si elle était encore en vie? Était-il donc de notoriété publique dans la famille que j'étais capable de la tuer à la première occasion à cause de l'alliance qu'elle avait conclue avec un frère que je haïssais. Il avait bien posé la question. Étrange.

Et quel était l'objet de cette alliance? Quelle était la source de cette tension, de cette opposition? Qu'est-ce qui faisait fuir Random?

Ambre.

Voilà la réponse.

Ambre. D'une manière ou d'une autre, la clé de toutes les énigmes se trouvait sur Ambre, je le savais. Le secret de tout ce micmac résidait sur Ambre. Un événement y avait fait du bruit. Assez récemment me semblait-il. Il fallait que je fasse gaffe. Il fallait que je fasse semblant de savoir ce que je ne savais pas, en attendant d'avoir soutiré, bribe par bribe, les informations de ceux qui les détenaient. Je m'en sentais tout à fait capable. Il y avait assez de méfiance dans l'air pour que chacun soit prudent. C'était parfait. J'allais tâcher de savoir ce qui m'était utile et de prendre ce que je voulais. Je me souviendrais alors de ceux qui m'auraient aidé et j'écraserais tous les autres. C'était la loi qui régissait notre famille, je le devinais, et j'étais le digne fils de mon père...

Mon mal de tête recommença brutalement. A m'en faire éclater le crâne.

C'était quelque chose concernant mon père, quelque chose que j'avais pensé, deviné, senti — qui avait tout déclenché. Mais je n'étais pas sûr du pourquoi ni du comment.

Le mal de tête s'atténua au bout d'un moment et je m'endormis dans mon fauteuil. Au bout d'un temps assez long, la porte s'ouvrit et Flora entra. Il faisait nuit dehors, une fois de plus.

Elle était vêtue d'une blouse de soie verte et d'une longue jupe de laine grise. Elle portait des chaussures de marche et des bas épais. Ses cheveux étaient tirés en arrière et elle paraissait légèrement pâle. Le sifflet pendait toujours à son cou.

« Bonsoir », dis-je en me levant.

Elle ne répondit pas. Elle se dirigea vers le bar, se versa une rasade de Jack Daniels et l'avala d'un trait comme un homme. Elle s'en versa une seconde, prit le verre et s'installa dans le grand fauteuil.

J'allumai une cigarette et la lui tendis.

Elle me remercia d'un signe de tête et dit : « La route pour Ambre... est difficile.

— Pourquoi? »

Elle me jeta un regard très étonné.

« Quand l'as-tu prise pour la dernière fois? »

Je haussai les épaules.

« Je ne m'en souviens pas.

— Comme tu voudras, dit-elle. Je me demandais seulement dans quelle mesure tu y étais pour quelque chose. »

Je ne répondis rien, ignorant de quoi elle parlait. Mais je me souvins soudain qu'il y avait un moyen plus facile que la route pour accéder à Ambre. De toute évidence, elle l'ignorait.

« Il te manque des Atouts », dis-je d'une voix que je reconnaissais à peine.

Elle bondit sur ses pieds, renversant la moitié de son verre sur le dos de sa main.

« Rends-les-moi! » s'écria-t-elle, la main sur le sifflet.

Je m'avançai vers elle, la pris par les épaules.

« Je ne les ai pas. C'était une simple remarque. »

Elle se détendit un peu et se mit à pleurer. Je la fis rasseoir doucement.

« J'ai cru que tu avais pris ceux qui me restaient, dit-elle. Il ne m'était pas venu à l'esprit que tu pouvais être méchant inutilement. »

Je ne m'excusai pas. Il me semblait que je n'avais aucune raison de le faire.

« Jusqu'où es-tu allée?

— Pas très loin. » Elle se mit à rire et me regarda avec une lueur nouvelle dans les yeux.

« Je comprends maintenant ce que tu as fait, Corwin. »

J'allumai une cigarette pour éviter de répondre.

« Certaines choses venaient de toi, n'est-ce pas? C'est toi qui m'as bloqué la route d'Ambre avant ton arrivée ici. Tu savais que j'irais voir Eric. Maintenant je ne peux plus. Il faut que j'attende que ce soit lui qui vienne à moi. Malin. Tu veux l'attirer ici, c'est ça? Dis-toi bien qu'il enverra un messager. Il ne viendra pas lui-même. »

Il y avait une curieuse note d'admiration dans la voix de cette femme qui avouait qu'elle avait essayé de me vendre à mon ennemi, et qui recommencerait à la première occasion — pendant qu'elle parlait de quelque chose dont elle me tenait pour responsable et qui avait saboté ses plans. Comment pouvait-on être aussi machiavélique en présence d'une victime désignée? La réponse jaillit immédiatement du fin fond de mon cerveau : dans notre famille, c'était notre façon de faire. Nous ne nous embarrassons d'aucune subtilité les uns avec les autres. Je trouvais cependant qu'elle manquait un peu de l'habileté d'une vraie professionnelle.

« Tu me crois idiot, Flora? Tu t'imagines que je suis venu ici pour attendre gentiment que tu me livres à Eric? Ta petite expérience t'aura servi de leçon.

— D'accord, je ne suis pas ton alliée! Mais toi aussi tu es en exil! Ça prouve que tu n'as pas été si malin! »

Ses paroles, sans savoir pourquoi, me firent mal. Je savais cependant qu'elles étaient fausses.

« Tu parles! » dis-je furieux.

Elle se remit à rire, en disant :

« Je savais que ça te ferait sortir de tes gonds. Bon, d'accord, tu es dans les Ombres exprès. Tu es fou. »

Je haussai les épaules.

« Franchement, que veux-tu? Pourquoi es-tu venu ici?

— J'étais curieux de savoir ce que tu mijotais. C'est tout. Tu ne peux pas me garder ici contre mon gré. Eric lui-même ne le pourrait pas. C'est peut-être une simple visite que je voulais te rendre. Je deviens sentimental avec l'âge, qui sait? De toute façon, je reste encore un peu, et je m'en irai. Sans doute pour de bon. Si tu n'avais pas été si rapide à vouloir m'échanger, tu aurais pu en tirer beaucoup plus de profit, ma belle. Tu m'as demandé de me souvenir de toi si, un jour, une certaine chose arrivait... »

Plusieurs secondes s'écoulèrent avant qu'elle dise : « Tu vas essayer! Tu vas vraiment essayer!

— Tu peux parier ton dernier billet que je vais essayer. » Je savais que j'accomplirais cet acte mystérieux. « Tu peux même prévenir Eric. Mais attention. Je suis capable de réussir. Et si je réussis, souviens-toi que ce sera très agréable d'être de mes amis. »

J'aurais payé très cher pour qu'on me dise de quoi je parlais, mais j'avais piqué un certain nombre d'expressions, en devinant l'importance qui s'y attachait, et je pouvais les employer à bon escient sans connaître leur signification profonde. Elles *sonnaient* juste, tellement juste...

Flora était tout à coup en train de m'embrasser.

« Je ne lui dirai rien. Sincèrement. Je pense que tu es capable de réussir, Corwin. Bleys fera des difficultés, mais Gérard t'aidera probablement, et peut-être aussi Benedict. Quand il verra ce qui se passe, Caine retournera sa veste...

— Je peux dresser mes plans tout seul. »

Elle alla remplir deux verres de vin, m'en tendit un.

« A l'avenir, dit-elle.

— C'est une chose à laquelle je bois toujours. »

Nous avons bu. Elle a de nouveau rempli mon verre.

« Il fallait que ce soit Eric, Bleys, ou toi, dit-elle. Vous êtes les seuls à avoir du cran et de l'intelligence. Mais tu avais quitté la scène depuis si longtemps que je ne te comptais plus parmi les partants.

— Il faut toujours se dire : on ne sait jamais. »

Je bus lentement mon verre en espérant qu'elle allait se taire une minute. Il me semblait qu'elle jouait un peu trop ouvertement sur les deux tableaux. Quelque chose me chatouillait, et j'avais besoin d'y réfléchir.

J'avais quel âge?

La réponse à cette question m'aiderait, je le savais, à expliquer en partie l'atroce sentiment d'éloignement et d'arrachement que j'avais éprouvé à la vue des personnages figurant sur les cartes. J'étais plus âgé que je n'en avais l'air. (Je m'étais dit : la trentaine en me regardant dans le miroir — je savais maintenant que c'était à cause des Ombres.) J'étais beaucoup, beaucoup plus âgé, et ça faisait très, très longtemps que je n'avais pas vu mes frères et sœurs, vivant tous ensemble en parfaite entente, comme sur les cartes, sans aucune tension entre eux, sans aucune friction.

La sonnette tinta. Carmella alla ouvrir la porte.

« Ça doit être Random, dis-je, très sûr de moi. Il s'est placé sous ma protection. »

Ses yeux s'élargirent, puis elle sourit, comme si elle appréciait un coup adroit de ma part.

Il n'en était rien, bien sûr, mais j'étais content de le lui laisser croire.

J'avais le sentiment d'être un peu plus en sécurité.

4.

Ce sentiment de sécurité dura trois minutes environ.

J'arrivai à la porte avant Carmella et l'ouvrit violemment.

Il entra en trébuchant, referma la porte derrière lui et tira le verrou. Des rides soulignaient ses yeux clairs et il n'avait ni pourpoint éclatant ni haut-de-chausses. Il portait un complet de laine brun, une gabardine sur le bras, des chaussures de daim foncées. Mais c'était bien Random — le Random que j'avais vu sur la carte — à ceci près qu'il avait besoin de se raser, que sa bouche rieuse semblait fatiguée et que ses ongles étaient sales.

« Corwin! » dit-il en m'embrassant.

Je lui tapai sur l'épaule. « Tu as besoin d'un verre.

— Oui, oui, oui... » Je le conduisis vers la bibliothèque. Trois minutes plus tard, après s'être assis, un verre dans une main, une cigarette dans l'autre, il me dit : « Ils me poursuivent. Ils seront là dans peu de temps. »

Flora poussa un petit cri que nous avons tous deux ignoré.

« Qui? ai-je demandé.

— Des créatures d'Ombre. Je ne sais pas qui ils sont, ni qui les a envoyés. Quatre ou cinq, peut-être six. Ils étaient dans le même avion que moi. J'ai pris un jet. Ils se sont manifestés aux environs de Denver. J'ai déplacé l'avion plusieurs fois pour les soustraire, mais ça n'a pas marché — et je ne voulais pas être trop déporté par rapport à la ligne. Je les ai semés à Manhattan, mais ce n'est qu'une question de temps. Je pense qu'ils seront ici d'une minute à l'autre.

— Tu n'as aucune idée de la personne qui les a envoyés? »

Il eut un bref sourire.

« J'imagine que nous ne serons pas trop loin de la vérité en nous limitant à la famille. Peut-être Bleys, peut-être Julian ou Caine. Peut-être toi, pour m'obliger à venir ici. J'espère que non. Tu n'as pas fait ça!

— Je crains que non, dis-je. Ils sont costauds? »

Il haussa les épaules. « S'ils n'avaient été que deux ou trois, j'aurais essayé de leur tendre un piège. Mais pas avec tout ce monde-là. »

Il était petit, un mètre soixante-huit environ, soixante-cinq kilos. Mais il avait l'air sérieux en affirmant qu'il pouvait tendre un piège à deux ou trois costauds. Comme j'étais son frère, je me posai des questions sur ma propre force physique brusquement. Je me sentais assez fort, capable de me battre sans crainte particulière avec n'importe qui. Mais fort jusqu'à quel point?

J'allais avoir l'occasion de le découvrir, je le compris sur-le-champ.

On frappait à la porte d'entrée.

« Qu'est-ce qu'on fait? » demanda Flora.

Random rit, défit sa cravate, l'envoya rejoindre sa gabardine sur le bureau, ôta sa veste, et fit des yeux le tour de la pièce. Son regard tomba sur le sabre. Il traversa rapidement la bibliothèque et décrocha l'arme. Je vérifiai d'un geste mon 32 automatique dans la poche de ma veste, et d'un coup de pouce fis sauter le cran de sécurité.

« Prêt? demanda Random. Ils arriveront vraisemblablement à entrer. A quand remonte ton dernier combat, sœurette?

— Trop longtemps, répondit-elle.

— Alors un conseil : souviens-toi de ton dernier combat, et vite. C'est une question de secondes. Ils sont télécommandés.

Mais nous sommes trois, et eux pas plus de six. Pourquoi s'en faire?

— Nous ne savons pas qui ils sont », dit-elle.

On frappa de nouveau à la porte.

« Quelle importance?

— Aucune, dis-je. Je vais leur ouvrir? »

Ils pâlirent légèrement.

« Pourquoi ne pas attendre...?

— Pourquoi ne pas appeler les flics...? » dis-je.

Ils rirent tous les deux, presque hystériquement.

« Ou Eric », dis-je en regardant Flora.

Elle secoua la tête.

« Pas le temps. Nous possédons l'Atout, mais le temps qu'il réagisse — s'il est d'accord — ce serait trop tard.

— Tout ceci pourrait bien être son œuvre d'ailleurs? dit Random.

— J'en doute, répondit-elle. J'en doute fort. Ce n'est pas son style.

— Exact », répondis-je à tout hasard pour leur laisser croire que j'étais dans le coup.

Le martèlement redoubla contre la porte d'entrée.

« Et Carmella? » ai-je demandé. Je me souvenais d'elle brusquement. Flora hocha la tête.

« J'ai décidé qu'il était hautement improbable qu'elle ouvre.

— Mais tu ne sais pas à qui tu as affaire », cria Random en quittant rapidement la pièce.

Je gagnai l'entrée derrière lui, juste à temps pour empêcher Carmella d'ouvrir.

Nous l'avons renvoyée dans sa chambre avec ordre de s'enfermer à double tour.

« Ça prouve la force de nos opposants, observa Random. Où en sommes-nous Corwin? »

Je haussai les épaules.

« Je te le dirais si je le savais. Pour l'instant nous sommes ensemble dans cette affaire. Recule! »

J'ouvris la porte.

Le premier homme essaya de m'écarter mais je le repoussai d'un bras de fer.

Ils étaient bien six.

« Que voulez-vous? » ai-je demandé.

Pas un mot ne fut prononcé. Je vis des revolvers.

Je chassai tout ce monde à coup de pied, claquai la porte et tirai les verrous.

« D'accord, ils sont vraiment là, dis-je. Mais comment savoir si tu ne prépares pas quelque chose?

— Impossible de le savoir. Je préférerais que ce soit vrai, note bien. Ils n'ont pas l'air commode. »

Nous étions d'accord sur ce point. Des types bien bâtis, avec des chapeaux qui leur cachaient les yeux. Leurs visages n'étaient que des ombres.

« Je donnerais cher pour savoir à qui on a affaire », dit Random.

Une vibration suraiguë atteignit mon oreille interne. Je compris que Flora venait d'utiliser son sifflet.

J'entendis qu'on enfonçait une fenêtre quelque part sur ma droite. Puis des grognements et des aboiements sur ma gauche.

« Elle a lâché ses chiens, dis-je, six monstres vicieux et méchants, qui pourraient nous sauter dessus en d'autres circonstances. »

Random hocha la tête. Nous nous sommes tous deux dirigés vers la fenêtre enfoncée.

Deux hommes se trouvaient déjà à l'intérieur du salon. Ils étaient armés.

J'évitai le premier en me jetant à plat ventre, et je fis feu sur le second. Random bondit par-dessus mon corps en brandissant son sabre. Je vis la tête du deuxième se détacher de ses épaules.

Deux autres hommes s'encadrèrent dans la fenêtre. Je vidai mon automatique sur eux. J'entendis le grondement des chiens mêlé à des coups de revolver qui ne venaient pas de moi.

Trois hommes gisaient par terre et trois des chiens de Flora. La pensée que nous avions eu la moitié de nos adversaires me fit du bien. Les trois derniers entraient par la fenêtre. J'en tuai un d'une manière qui me surprit.

Brusquement, sans réfléchir, j'attrapai un vaste fauteuil rembourré, et le lançai à une dizaine de mètres, brisant le dos de l'homme atteint.

Je bondis vers les deux derniers. Avant que j'aie eu le temps de traverser la pièce, Random avait transpercé l'un d'entre eux avec son sabre, laissant aux chiens le soin de l'achever, et se tournait vers le dernier.

Celui-ci eut très vite son compte. Nous n'avons pas pu l'empêcher de tuer un autre chien, mais il s'arrêta là. Random l'avait étranglé.

Deux des chiens étaient morts, un troisième gravement blessé, Random l'acheva d'un coup de sabre. Puis nous nous sommes tournés vers les hommes.

Il y avait en eux quelque chose d'inhabituel.

Flora entra et nous aida à découvrir ce que c'était.

Ils avaient tous les six des yeux injectés de sang. Très, très injectés de sang. Sur eux, ça semblait normal.

Ils avaient tous les six une phalange supplémentaire à chaque doigt, et des griffes aiguës et coupantes sur le dos des mains.

Ils avaient tous les six des mâchoires proéminentes. J'en ouvris une et comptai quarante-quatre dents, plus longues que les dents humaines, dont plusieurs très aiguisées. Ils avaient tous les six une peau grisâtre, dure et luisante.

Il y avait sans doute d'autres différences. Celles-ci suffisaient à prouver quelque chose qui m'échappait.

Nous avons pris leurs armes : trois petits pistolets plats.

« Ils sortent bien des Ombres », dit Random. J'acquiesçai d'un signe de tête. « Et j'ai eu de la veine. Ils n'ont pas eu l'air d'avoir soupçonné mes renforts — un frère militant et une demitonne de chiens. » Il alla jeter un coup d'œil par la fenêtre : « Rien, dit-il au bout d'un moment. Je suis sûr qu'on les a tous eus. » Il tira les lourds rideaux orange, poussa devant la fenêtre de grands meubles. Pendant ce temps, je leur faisais les poches.

Je ne fus pas très surpris de n'y trouver aucun papier d'identité.

« Retournons à la bibliothèque, dit Random. Je n'ai pas terminé mon verre. »

Avant de s'asseoir, il prit le temps d'essuyer soigneusement le sabre et de le remettre à sa place. Je préparai un whisky pour Flora.

« Maintenant que nous sommes tous les trois dans le bain, dit-il, j'imagine que je suis en sécurité pour quelque temps.

— Ça m'en a tout l'air, admit Flora.

— Bon Dieu, je n'ai rien mangé depuis hier! » dit-il.

Flora alla dire à Carmella qu'il n'y avait plus de danger et la prier d'apporter quelque chose à manger dans la bibliothèque.

Dès qu'elle eut quitté la pièce, Random se tourna vers moi : « Qu'y a-t-il entre vous deux?

— Ne lui tourne jamais le dos.

— Elle est toujours avec Eric?

— Autant que je le sache.

— Alors que fais-tu ici?

— J'ai essayé de posséder Eric en l'incitant à venir me cueillir ici. Il sait que c'est la seule façon pour lui de me mettre la main dessus. De mon côté je voulais savoir jusqu'à quel point il en avait envie. »

Random secoua la tête.

« Je ne crois pas qu'il le fasse. Aucun intérêt. Tant que tu es ici et lui là-bas, pourquoi prendrait-il la peine de se montrer? C'est lui qui est en position de force. Si tu veux Eric, il faut que tu ailles le chercher.

— Je viens d'aboutir à la même conclusion. »

Ses yeux brillèrent et son ancien sourire apparut. Il se passa une main dans ses cheveux paille sans me quitter des yeux.

« Tu es décidé à le faire?

— Peut-être.

— Pas de *peut-être* avec moi, petit. C'est écrit sur ton visage. J'aurais presque envie de t'accompagner, tu sais. De toutes mes relations, ce sont les sexuelles que j'aime le mieux, et Eric le moins. »

J'allumai une cigarette en réfléchissant.

« Tu es en train de penser : " Jusqu'à quel point puis-je avoir confiance en Random cette fois-ci? Il est sournois, méchant et porte bien son nom *. A la première occasion, il me vendra au plus offrant. " Vrai? »

Je fis signe que oui.

« Souviens-toi pourtant, frère. Si je ne t'ai jamais fait grand bien, je ne t'ai jamais fait grand mal. Quelques méchants petits tours, bien sûr. Mais tout bien pesé, on peut dire que, de toute la famille, c'est nous qui nous entendons le mieux — c'est-à-dire que nous ne nous sommes jamais gênés l'un l'autre. Penses-y. J'entends Flora qui revient, ou la bonne. Changeons de conversation... Mais réponds-moi très vite! Possèdes-tu un paquet des cartes favorites de la famille? »

Je fis non de la tête.

Flora entra et dit : « Carmella va nous porter de quoi manger dans un instant. »

Nous avons bu en attendant. Il me fit un clin d'œil derrière son dos.

Le lendemain il n'y avait plus trace de corps dans le salon, ni taches sur la moquette. La fenêtre avait été réparée et Random expliqua « qu'il s'était occupé de tout ». Je jugeai inutile de le questionner plus en détail.

Nous avons emprunté la Mercedes de Flora pour aller faire un tour. La région me parut étrangement modifiée. J'étais incapable de dire ce qui manquait ou ce qui était nouveau, mais c'était différent. En essayant d'y réfléchir, j'ai eu évidem-

* *Random :* de l'expression *At random :* au hasard, à tort et à travers.

ment très mal à la tête. Je décidai donc d'interrompre mes réflexions.

J'étais au volant, Random à côté de moi. Je dis que j'aurais aimé revenir en Ambre — pour voir ce qu'il allait répondre. Il répondit :

« Je me suis demandé si tu étais revenu pour une simple vengeance ou s'il y avait autre chose. » Il me renvoyait ainsi la balle, me laissant libre de répondre ou de ne pas répondre, à mon gré.

Je décidai d'utiliser la phrase choc :

« J'y ai réfléchi de mon côté. J'ai essayé d'évaluer mes chances. Finalement, je peux tenter le coup. »

Il se tourna vers moi (il regardait jusque-là par la fenêtre de la portière) et dit :

« Je suppose que nous avons tous cette ambition, ou du moins cette pensée — moi, en tout cas, bien que je me sois retiré du jeu très tôt — et si j'en juge par ce que j'en ressens, la pensée seule en vaut la peine. Je comprends ce que tu veux me demander. Tu veux savoir si je t'aiderai. La réponse est oui. Je le ferai, rien que pour déranger les autres. » Un temps. « Que penses-tu de Flora ? Sera-t-elle d'une aide quelconque ?

— J'en doute. Elle se joindrait tout de suite à nous si les choses étaient sûres. Mais qu'est-ce qui est sûr jusqu'à maintenant ?

— Ou jamais.

— Ou jamais », répétai-je pour lui laisser croire que je connaissais la réponse qu'il m'aurait faite.

Vu l'état de ma mémoire, j'avais peur de me confier à lui. J'avais également peur de lui faire confiance. Je m'abstins donc. Il y avait tellement de choses que je voulais connaître. Mais vers qui me tourner ? J'y réfléchis tout en roulant.

« Quand veux-tu commencer ? demandai-je.

— Quand tu seras prêt. »

Et voilà. C'était à moi de jouer. Mais je ne savais pas quoi faire.

« Pourquoi pas maintenant? » dis-je.

Il resta silencieux, alluma une cigarette, pour gagner du temps, j'imagine.

Je fis de même.

« D'accord, finit-il par dire. La dernière fois que tu y es allé, c'était quand?

— Ça fait si longtemps que je ne suis même pas sûr de me souvenir de la route.

— Très bien, il faut donc partir avant de pouvoir revenir. Combien d'essence as-tu?

— Trois quarts de réservoir.

— Alors tourne à gauche au croisement, on verra bien ce qui se passera. »

J'obéis. A mesure que nous roulions, les trottoirs se mirent à scintiller.

« Bigre! dit Random. Ça fait bien vingt ans que je n'ai pas fait cette promenade. Je me souviens parfaitement de ce qu'il faut faire. »

Nous roulions toujours. Je me demandais ce qui se passait. Le ciel avait repris une teinte verdâtre qui se nuançait jusqu'au rose.

Je me mordis les lèvres pour m'empêcher de poser des questions.

Nous sommes passés sous un pont. De l'autre côté, le ciel avait repris sa couleur normale. Mais il y avait des moulins à vent partout, de grands moulins à vent jaunes.

« Ne t'en fais pas, dit-il rapidement, ça pourrait être pire. »

Je remarquai que les gens que nous dépassions étaient étrangement vêtus, et que la route était pavée de briques.

« Tourne à droite. »

Je tournai.

Des nuages violets couvrirent le soleil. Il se mit à pleuvoir. Un éclair zébra le ciel. Les nuages grondèrent au-dessus de nous. Les essuie-glaces marchaient à plein régime, mais sans grande efficacité. J'allumai les codes et ralentis.

J'aurais juré avoir croisé un homme à cheval, qui galopait en sens inverse, vêtu de gris, le col relevé, la tête baissée pour se préserver de la pluie.

Puis les nuages se dissipèrent et nous nous sommes retrouvés le long de la mer. Des vagues gigantesques se soulevaient, rasées par des mouettes. La pluie avait cessé. J'arrêtai les essuie-glaces et j'éteignis les phares. La route était goudronnée, mais je ne reconnaissais pas du tout la région. Dans mon rétroviseur je n'apercevais aucune trace de la ville que nous venions de quitter. Nous sommes passés soudain devant un gibet où pendait un squelette qui se balançait au gré du vent. J'ai agrippé le volant avec force.

Random continuait de fumer en regardant par la portière. La route quitta la côte pour s'enrouler autour d'une colline. Une plaine grasse et sans arbres s'étendait à notre droite et une série de collines de plus en plus hautes s'élevaient à notre gauche. Le ciel était sombre, d'un bleu luisant, comme un bassin profond et propre, abrité et ombragé. Je ne me souvenais pas d'avoir vu un ciel pareil.

Random ouvrit sa fenêtre pour jeter son mégot. Un vent glacial s'engouffra à l'intérieur de la voiture. Un vent qui avait l'odeur de la mer, salée et forte.

« Tous les chemins mènent à Ambre », dit-il comme si c'était un axiome.

Je me souvins alors de ce que Flora m'avait dit la veille. Quitte à passer pour un âne ou jouer à celui qui détient une information capitale, il fallait que j'en parle à Random. Pour notre bien à tous les deux. Les paroles de Flora me revenaient en effet, avec tout ce qu'elles impliquaient.

« L'autre jour, quand tu as appelé et que je t'ai répondu que Flora était sortie, j'ai bien l'impression qu'elle a essayé d'aller en Ambre, et qu'elle a trouvé la route bloquée. »

Il se mit à rire.

« Elle n'a pas beaucoup d'imagination la frangine. A un moment comme celui-ci la route est évidemment bloquée.

Nous serons nous-mêmes obligés de finir la route à pied, j'en suis sûr, et nous n'aurons pas assez de toutes nos forces et de toute notre ingéniosité pour réussir. Si jamais nous réussissons. Elle s'imaginait peut-être qu'elle allait rentrer sur ses terres, comme une princesse, qu'il y aurait un tapis de fleurs tout le long de la route? Elle est idiote, cette garce. Elle ne mérite vraiment pas de vivre, mais ce n'est pas à moi d'en décider. Pas encore. Tourne à droite au croisement. »

Que se passait-il? Je savais qu'il était, d'une certaine façon, responsable des changements exotiques qui se produisaient autour de nous, mais je n'arrivais pas à comprendre comment il le faisait ni où il nous conduisait. Il fallait absolument que je découvre son secret, mais je ne pouvais pas le lui demander aussi simplement. Il comprendrait tout, et je serais à sa merci. En apparence, il se contentait de fumer et de regarder devant lui. En haut de la route, nous avons débouché sur un désert bleu. Au-dessus de nous scintillait un soleil rose. Dans le rétroviseur j'apercevais des kilomètres de désert. Pas mal son truc.

Le moteur se mit à tousser, à gronder, puis se calma et recommença sa petite performance.

Le volant changea de forme entre mes mains.

Il se transforma en croissant. Le siège sembla s'éloigner, la voiture devenir plus basse, le pare-brise plus oblique.

Je ne dis rien, même lorsque se leva une tempête de sable lavande.

Quand elle s'arrêta, je sursautai.

A un kilomètre environ devant nous, il y avait un embouteillage monstre. Une file de voitures parfaitement immobiles qui klaxonnaient à qui mieux mieux.

« Ralentis, dit Random. C'est le premier obstacle. »

J'obéis. Une nouvelle rafale de sable s'abattit sur nous.

Avant même que j'aie eu le temps d'allumer mes feux, elle disparut. Je clignai des yeux plusieurs fois.

Plus de voitures, plus de klaxons. La route scintillait comme les trottoirs de tout à l'heure. J'entendis Random qui maudissait dans sa barbe quelqu'un ou quelque chose.

« J'ai agi exactement comme voulait que j'agisse celui qui a installé ce barrage, dit-il, et ça me vexe d'avoir fait ce qu'il attendait de moi : ce qui coulait de source.

— Eric?

— Probable. Qu'est-ce qu'on fait? On s'arrête un moment ou on continue pour voir s'il y a d'autres barrages?

— On continue. Ce n'est que le premier.

— D'accord. Il ajouta : Qui sait ce que va être le second? »

Le second était une chose — je ne vois pas comment l'appeler autrement.

Une chose qui ressemblait à une forge avec des bras, en plein milieu de la route, une forge qui se baissait pour prendre des voitures et les manger.

Je freinai à mort.

« Qu'est-ce qui t'arrive? demanda Random. Continue. Comment veux-tu qu'on les dépasse?

— Ça m'a un peu ébranlé. » Il me lança un long regard de côté. Une nouvelle tempête de sable s'éleva.

J'aurais dû prendre sur moi, je le savais.

La tempête se calma. Nous nous sommes retrouvés sur une route déserte, une fois de plus. Au loin se profilaient des tours.

« Je crois que je l'ai eu, dit Random. J'en ai combiné plusieurs en un seul. Je pense qu'il ne s'y attendait pas. Après tout personne n'est capable de surveiller en même temps toutes les routes pour Ambre.

— Bien sûr. » J'espérais me racheter après le faux pas qui m'avait valu cet étrange regard.

Je regardai Random. Petit, l'air chétif, il aurait pu mourir aussi facilement que moi la veille au soir. Quel pouvoir détenait-il? Que signifiaient ces paroles à propos d'Ombres? Où qu'elles soient, je sentais que nous étions en train d'évoluer au milieu d'elles. Comment? Grâce à quelque chose que faisait

Random. Comme il avait l'air d'être physiquement au repos, et qu'il ne cachait pas ses mains, je compris que c'était quelque chose qu'il faisait mentalement. Mais quoi encore une fois?

Il avait parlé « d'ajouter » et de « soustraire », comme si l'univers dans lequel il se déplaçait n'était qu'une équation.

Je compris avec une brusque certitude qu'il ajoutait et soustrayait certains éléments du monde visible qui nous entourait pour nous rapprocher de plus en plus de ce lieu étrange appelé Ambre, pour lequel il résolvait ladite équation.

J'avais su le faire autrefois. La clé de cette énigme, je le compris en un éclair, c'était le souvenir d'Ambre.

Mais je n'avais aucun souvenir.

La route tourna brusquement, le désert fit place à des champs d'herbe bleue, longue et effilée. Au bout d'un moment, le terrain devint plus accidenté. Au pied de la troisième colline, il n'y avait plus de pavés. Nous avons débouché sur un étroit chemin de terre qui serpentait entre des collines de plus en plus hautes sur lesquelles apparaissaient maintenant des arbustes et des touffes de chardons aigus comme des baïonnettes.

Au bout d'une demi-heure, il n'y eut plus de collines. Nous sommes entrés dans une forêt d'arbres trapus, aux troncs larges aux feuilles en losange avec des couleurs automnales, orange et pourpre.

Une pluie légère se mit à tomber accusant les contrastes. Des brumes pâles s'élevaient lentement du tapis de feuilles mortes. Quelque part sur ma droite, j'entendis un rugissement.

Le volant changea trois fois de forme, la dernière version étant une chose octogonale en bois. La voiture était maintenant assez longue et nous avions récolté quelque part un enjoliveur de capot en forme de flamant. Je ne fis aucun commentaire et je m'adaptai à toutes les transformations du siège et aux nouvelles manœuvres exigées par les changements du véhicule. Random jeta cependant un coup d'œil au volant à l'instant précis où se fit entendre un nouveau rugissement, et hocha la tête. Les arbres s'allongèrent aussitôt, festonnés de plantes grimpantes, auréolés d'une sorte de voile de mousse bleue. La voiture redevint à peu près normale. Je jetai un coup d'œil sur la jauge à essence : réservoir à moitié plein.

« Nous avançons », remarqua mon frère.

J'acquiesçai d'un signe de tête.

La route s'élargit brusquement. Elle était cimentée. De chaque côté, un canal plein d'eaux boueuses. Des feuilles mortes, des brindilles et des plumes décolorées glissaient sur la surface.

Je sentis soudain un léger vertige.

« Respire lentement et profondément, conseilla Random. Nous allons prendre un raccourci. L'atmosphère et la gravitation vont être un peu différentes. Nous avons eu de la chance jusqu'à maintenant, mais j'ai envie de la pousser à fond, et de nous rapprocher le plus possible et le plus vite possible.

— Bonne idée.

— Peut-être oui, peut-être non. Mais je crois que le jeu en vaut la chan... Attention! »

Nous étions en train de grimper une colline. En face de nous un camion descendait en cahotant du mauvais côté de la route. Je fis une brusque embardée pour l'éviter. Il en fit une aussi. Au dernier moment, je quittai le bord de la route, m'engageai dans la terre meuble et stoppai au bord du canal, à temps pour échapper à la collision.

Le camion fit hurler ses freins et s'immobilisa sur ma droite. J'essayai de faire une marche arrière, mais nous étions enlisés.

Une portière claqua. Le chauffeur descendit de son siège du côté droit de la cabine — ce qui voulait dire qu'il devait être sur le bon côté de la route et que nous étions sur le mauvais. J'étais certain que dans aucune région des États-Unis la circulation ne se faisait comme en Angleterre. J'étais donc sûr que nous avions quitté la Terre depuis longtemps, la Terre qui m'était familière.

Le véhicule était un camion-citerne portant sur ses flancs

en grosses lettres rouge sang : ZUNOCO. En dessous le slogan : « Nous cuvrons le munde. » Au moment où j'allais m'excuser, le chauffeur me couvrit d'injures. Il était aussi grand que moi, bâti comme un tonneau de bière et tenait une manivelle à la main.

« J'ai dit que je m'excusais. Que voulez-vous que je fasse d'autre? Personne n'a été blessé et il n'y a pas eu de dégâts.

— On devrait pas lâcher des foutus conducteurs comme vous sur les routes! hurla-t-il. Salaud!

— Vous feriez mieux de filer mon vieux! » dit alors Random. Il était sorti de la voiture, un revolver à la main.

« Pas de ça », dis-je. Mais il fit sauter le cran de sécurité et visa.

Le type fit volte-face et se mit à courir, les yeux exorbités par la peur, la mâchoire tombante.

Random visa soigneusement le dos de l'homme. J'eus juste le temps de lui donner un coup de poing sur le bras au moment où il appuya sur la détente.

La balle atteignit la route et partit en ricochant.

Random se tourna vers moi, blanc de rage.

« Espèce de crétin! Cette balle aurait pu atteindre la citerne!

— Elle aurait pu également se loger dans le dos du type.

— Et après? On s'en fout! On ne passera plus jamais par ici pendant cette génération. Ce salaud a osé insulter un prince d'Ambre! C'est *ton honneur* que je défendais.

— Je peux défendre mon honneur moi-même. » Quelque chose de froid m'envahit brusquement, me forçant à ajouter : « C'était à moi, non à toi, de le tuer, si j'en avais décidé ainsi. » J'avais le sentiment d'avoir été outragé.

Il baissa la tête. La portière claqua et le camion partit à toute allure.

« Je suis désolé, frère, dit Random. Je n'avais pas l'intention de te blesser. Mais j'ai été offensé en entendant l'un d'eux te parler de cette façon. Je sais que j'aurais dû te laisser disposer de lui à ta convenance, ou au moins te consulter.

— Peu importe. Essayons de regagner la route et de repartir. »

Les roues arrière étaient embourbées jusqu'au moyeu. J'essayai de trouver la meilleure solution pour nous sortir de là. Random me cria : « J'ai le pare-chocs avant. Prends le pare-chocs arrière. Nous allons transporter la voiture sur la route — et cette fois, posons-la sur le côté gauche. »

Il ne plaisantait pas.

Il avait bien parlé de gravitation différente, mais je ne me sentais pas spécialement léger. Je savais que j'avais une certaine force, mais soulever l'arrière d'une Mercedes, ça me paraissait bien improbable.

Il fallait pourtant que j'essaie puisqu'il semblait sûr que j'en étais capable : je ne pouvais pas me permettre de vendre la mèche quant à mes trous de mémoire.

Je m'accroupis donc, affermis ma prise et commençai à me lever en tirant. Les roues arrière se désembourbèrent avec un bruit de succion. Je tenais l'arrière de la voiture à soixante centimètres au-dessus du sol ! C'était lourd — bon Dieu que c'était lourd ! — mais j'étais capable de le faire.

Mes pieds s'enfonçaient dans la terre détrempée, mais je portais la voiture, Random faisait de même de son côté.

Nous l'avons reposée sur la route, puis j'ai enlevé mes chaussures, je les ai nettoyées avec des touffes d'herbe, j'ai tordu mes chaussettes, j'ai brossé les revers de mon pantalon, j'ai lancé mes chaussures sur le siège arrière et je me suis réinstallé à l'avant, nu-pieds.

Random s'est rassis à côté de moi :

« Je veux encore m'excuser... a-t-il dit.

— Terminé, n'en parlons plus.

— Je ne veux pas que tu m'en veuilles.

— Je ne t'en veux pas. Mais à l'avenir, refrène ton impétuosité quand il s'agit de donner la mort en ma présence.

— Promis. »

Nous avons roulé dans une gorge de montagne et traversé une ville qui semblait entièrement faite de verre, ou d'une substance analogue, avec de grands immeubles, minces et fragiles, et des êtres au travers desquels le soleil rose brillait, révélant leurs organes internes et les reliefs de leur dernier repas. Ils n'avaient aucune réaction en nous voyant passer. Ils étaient attroupés aux coins des rues, mais aucun d'eux n'essaya de nous arrêter ni de traverser.

« Les habitants de cette ville parleront sûrement d'un tel événement pendant des années », dit mon frère.

J'approuvai d'un signe de tête.

Ensuite il n'y avait plus de route tracée. Nous roulions sur une sorte de feuille infinie de silicone. Au bout d'un moment, elle se rétrécit et devint notre route. Il y avait des marécages noirâtres et puants à notre gauche. Je suis prêt à jurer avoir vu un diplodocus lever la tête et nous regarder de haut. Une énorme chose ailée passa au-dessus de nous. Le ciel était bleu roi et le soleil d'un or fauve. Je dis :

« Le réservoir d'essence est aux trois quarts vide.

— D'accord, arrête la voiture », dit Random.

J'obéis et j'attendis.

Il garda le silence longtemps, peut-être cinq à six minutes, puis il dit : « Démarre. »

Au bout de cinq kilomètres, nous nous sommes trouvés devant une enceinte de rondins de bois. Je commençai à en faire le tour. J'aperçus une entrée. « Arrête et klaxonne », dit Random.

Je l'ai fait. Au bout d'un moment l'énorme porte a grincé en tournant sur ses énormes gonds.

« Entre, dit Random. Il n'y a rien à craindre. »

Je suis entré. Sur ma gauche, j'ai vu trois pompes à essence Esso et le petit bureau avec un auvent semblable à ceux que j'avais vus un peu partout dans des circonstances plus normales. J'ai freiné devant l'une des pompes.

L'homme qui est sorti du bureau mesurait à peu près un

mètre soixante-dix. Il était énorme, avec un nez comme une fraise et des épaules larges d'un mètre.

« Le plein? » demanda-t-il.

Je fis signe que oui. « De l'ordinaire.

— Avancez un peu. »

J'obéis et je demandai à Random : « Mon argent a cours ici?

— Jette-lui un coup d'œil », me conseilla-t-il.

Mon portefeuille était bourré de billets orange et jaune, avec des chiffres romains aux angles, suivis des lettres D.R.

Il sourit pendant que j'examinais les coupures.

« Je me suis occupé de tout, dit-il.

— Formidable. A propos, je commence à avoir faim. »

Nous avons regardé autour de nous. Un peu plus loin, il y avait une affiche représentant un type qui vendait du poulet frit.

Nez de fraise secoua le tuyau sur le sol pour le désenrouler, enfonça le robinet dans le réservoir, s'approcha et dit : « Huit Drachae Regums. »

Je lui tendis un billet avec un V-D.R. et trois autres avec I-D.R.

« Merci », dit-il en les fourrant dans sa poche. « Je vérifie l'huile et l'eau?

— D'accord. »

Il ajouta un peu d'eau, me dit que pour l'huile ça allait, et essuya vaguement le pare-brise avec un chiffon sale. Puis il fit un signe de la main et rentra dans son bureau.

Nous sommes allés chez Kenni Roi. Nous avons acheté un plein cornet de lézard frit arrosé de bière tiède et salée. Après avoir fait un peu de toilette dans les lavabos, nous sommes retournés devant la porte. J'ai klaxonné. Un homme portant une hallebarde sur l'épaule est venu nous ouvrir.

Nous avons repris la route.

Un tyrannosaure sauta devant nous, hésita un instant et continua son chemin vers la gauche. Trois autres ptérodactyles nous survolèrent.

« Je ne suis pas disposé à abandonner le ciel d'Ambre », dit Random, sibyllin. Je répondis par un grognement.

« Je crains d'être obligé de tout jouer d'un coup, reprit-il. Nous risquons d'être mis en pièces.

— Je suis d'accord.

— D'un autre côté je n'aime pas cet endroit. »

Je fis un signe de tête. Nous avons continué de rouler jusqu'au bout de la plaine. La silicone a fait place à du roc nu. J'ai demandé :

« Que vas-tu faire maintenant?

— Maintenant que j'ai le ciel, je vais tâcher d'avoir le terrain. »

Le roc devint rocher. Entre les rochers il y avait de la terre noire. Au bout d'un moment, la terre fit place à des taches vertes. Une touffe d'herbe ici et là. C'était un vert très vif, un vert inconnu sur la Terre qui m'était familière.

Bientôt il y eut de l'herbe à profusion, et des arbres solitaires.

Puis une forêt.

Et quelle forêt!

Je n'avais jamais vu des arbres comme ceux-là — puissants et majestueux, d'un vert profond, riche, légèrement teinté d'or, avec une cime élevée qui prenait son essor vers le ciel. D'énormes pins, des chênes, des érables et d'autres espèces que je ne pouvais pas distinguer. Je baissai légèrement la vitre. Un parfum fantastique et subtil vint me chatouiller les narines. Je baissai complètement la vitre pour respirer ce parfum enchanteur.

« La forêt d'Arden », dit l'homme qui était mon frère. Je sus qu'il disait vrai. Je l'aimai et je l'enviai à la fois pour sa sagesse et son savoir. Je lui dis.

« Tu te débrouilles très bien, frère. Mieux que je ne m'y attendais. Merci. »

Il fut un peu déconcerté par ces paroles. J'avais l'impression que personne dans la famille ne lui faisait de compliments.

« Je fais de mon mieux, répondit-il, et m'engage à continuer jusqu'au bout. Regarde! Nous avons le ciel, et nous avons la forêt! C'est presque trop beau pour être vrai! Nous avons fait plus de la moitié du chemin sans ennuis notables. Je crois que nous avons eu beaucoup de chance. M'accorderas-tu une régence? »

Je répondis : « Oui », sans savoir ce que cela signifiait, mais si c'était en mon pouvoir, j'étais d'accord pour la lui accorder.

Il hocha alors la tête et dit : « Tu es un type bien. »

C'était pourtant un beau salaud. Il avait toujours été une sorte de rebelle, je m'en souvenais parfaitement. Nos parents avaient essayé de le discipliner autrefois, sans succès. Je découvris alors que nous avions les mêmes parents lui et moi, ce qui n'était pas du tout le cas pour Eric, Flora, Caine, Bleys et Fiona. Et d'autres sans doute.

Nous roulions sur une route de terre battue. Au-dessus de nous des arbres gigantesques formaient une voûte jusqu'à l'infini. Je me sentais en sécurité. De temps en temps, un cerf détalait, un renard traversait la route ou se tenait sur le côté. De loin en loin il y avait des empreintes de sabots. Les rayons du soleil filtraient parfois à travers les feuilles comme des cordes d'or d'un instrument de musique indien. La brise était humide et parlait de choses vivantes. Je découvris que je connaissais cet endroit, que j'avais souvent emprunté cette route dans le passé. J'avais traversé la forêt d'Arden à cheval et à pied, j'y avais chassé, je m'étais allongé sous certains de ces arbres, les bras sous la nuque, en regardant le ciel. J'avais grimpé aux branches de certains de ces géants pour découvrir d'en haut un monde vert et continuellement palpitant.

« J'aime cet endroit », dis-je, sans me rendre compte que je parlais à haute voix.

« Tu l'as toujours aimé », répondit Random. Il y avait comme une pointe d'amusement dans son intonation. Mais je n'en étais pas certain.

J'ai entendu au loin un cor de chasse.

« Accélère, dit Random brusquement. Ça m'a tout à fait l'air d'être le cor de Julian. »

J'obéis.

Le cor sonna encore. Plus près.

« Ses maudits chiens vont déchiqueter la voiture, et ses faucons nous dévoreront les yeux! Ça m'ennuierait de le rencontrer, surtout s'il a son équipage au complet. Peu importe ce qu'il tue pendant ses chasses. Il abandonne tout à la curée. Par exemple : deux de ses frères. »

Je dis : « Vivre et laisser vivre est ma philosophie depuis quelque temps. »

Random ricana.

« C'est une conception plutôt originale. Je te fiche mon billet qu'elle ne tiendra pas cinq minutes. »

Le cor sonna de nouveau, toujours plus près. « Malédiction ! » dit Random.

Le compteur marquait 150 en chiffres runiques et j'avais peur d'aller plus vite sur cette route.

Le cor sonna encore, très près, trois longues notes. J'entendais l'aboiement des chiens sur ma gauche.

« Nous sommes très près de la Terre réelle, dit mon frère, mais encore loin d'Ambre. Il serait inutile de fuir à travers les Ombres adjacentes, car si c'est vraiment nous qu'il suit, il ne nous lâchera pas. Ou ses Ombres s'en chargeront.

— Que faire?

— Accélérer, en espérant qu'il chasse autre chose que nous. »

Le cor sonna une fois de plus, presque à côté de nous.

« Il nous suit avec quoi? ai-je demandé. Une locomotive?

— Il monte le puissant Morgenstern, le cheval le plus rapide qu'il ait jamais créé. »

Ce dernier mot roula longuement dans ma tête et mit mon cerveau à la torture. Une voix intérieure me disait : oui, c'est exact. Il a bien créé Morgenstern. Il l'a fait jaillir des Ombres, et lui a donné la force d'un ouragan et d'un marteau-pilon.

Je me souvenais qu'autrefois j'avais eu lieu de craindre cet animal. Et je le vis.

En hauteur, Morgenstern dépassait de six paumes tous les autres chevaux de ma connaissance. Ses yeux avaient la couleur terne des chiens Weimaraner, sa robe était grise, ses sabots semblaient polis comme de l'acier. Il galopait comme le vent, aussi vite que la voiture. Julian était ramassé sur la selle — c'était le Julian du jeu de cartes, longs cheveux noirs, yeux bleus très vifs, cotte de mailles blanche.

Il agita le bras en souriant et Morgenstern secoua la tête et sa magnifique crinière se déploya dans le vent comme un drapeau. Il allait tellement vite qu'on ne distinguait pas ses jambes.

Julian, autrefois, avait habillé quelqu'un avec mes vieux vêtements et l'avait obligé à tourmenter la bête, je m'en souvenais maintenant. Un jour, à la chasse, comme j'avais mis pied à terre pour dépiauter un chevreuil, le cheval avait essayé de me piétiner.

Je relevai ma vitre pour qu'il ne me reconnaisse pas à l'odeur. Mais Julian m'avait aperçu et je crus comprendre ce que ça signifiait. Autour de lui, les chiens couraient comme un ouragan, durs et forts, les mâchoires comme de l'acier. Ils venaient des Ombres eux aussi, car un chien ordinaire est incapable de courir aussi vite. Mais j'avais la certitude qu'en ce lieu, le mot « ordinaire » ne s'appliquait à rien.

Julian nous fit signe de nous arrêter. Je jetai un coup d'œil à Random. Il hocha affirmativement la tête. « Si nous n'obéissons pas, il nous renversera tout simplement. » Je m'arrêtai.

Morgenstern se cabra, piaffa, battit le sol de ses quatre fers et s'immobilisa. Les chiens tournaient en rond, langue pendante, en haletant. Le cheval luisait de sueur.

« Quelle surprise! » dit Julian de sa voix lente, presque embarrassée. Un grand faucon noir et vert vint se poser sur son épaule gauche.

« En effet, dis-je. Comment vas-tu?

— Très bien, comme toujours. Et toi, que deviens-tu? Et ce cher Random?

— Je suis en pleine forme », dis-je. Random hocha la tête et dit : « Je pensais que par les temps qui courent tu t'adonnais à d'autres sports. »

Julian pencha la tête sur le côté et le regarda à travers le pare-brise.

Un léger froid descendit le long de mon épine dorsale.

« J'ai été distrait de ma chasse par le bruit de votre voiture. Je ne m'attendais pas à vous trouver là. Je suppose que vous ne faites pas une simple promenade. Vous avez sûrement un but. Ambre par exemple. Exact?

— Exact, ai-je reconnu. Et toi, pourquoi tu es ici?

— Eric m'a chargé de garder cette route. » Pendant qu'il parlait, ma main s'était posée sur l'un des revolvers que je portais à la ceinture. Aucune balle n'était capable de percer cette armure. J'envisageai de tirer sur Morgenstern.

« Je vous souhaite la bienvenue, reprit Julian en souriant, et un bon voyage. Je vous verrai sans doute bientôt en Ambre. Bonne journée. » Il repartit vers les bois.

« Filons ventre à terre, dit Random. Il mijote probablement une embuscade. » Il tira un revolver de sa ceinture et le posa sur ses genoux.

Je repartis rapidement.

Cinq minutes après, au moment où je commençais à respirer un peu plus à l'aise, j'entendis le cor. J'écrasai l'accélérateur. Je savais qu'il nous rattraperait de toute façon, mais j'essayais de gagner le plus de temps et de distance possible. Dérapant dans les virages, emballant le moteur, je faillis renverser un cerf. Je réussis à l'éviter sans ralentir.

Le cor sonna plus près. Random grommela des obscénités.

J'avais l'impression que nous avions une longue distance à parcourir encore avant de quitter la forêt, ce qui n'était pas très encourageant.

Nous sommes arrivés sur un tronçon de route très droite. Je pus rouler, le pied au plancher pendant presque une minute. Le cor de Julian s'éloigna. Mais la route se mit à tourner et je ralentis. Julian gagna de nouveau du terrain.

Cinq minutes plus tard, je l'aperçus dans le rétroviseur. Il galopait dans un tonnerre de fin du monde, sa meute autour de lui, hurlante.

Random baissa sa vitre et tira.

« Maudite armure! dit-il. Je suis sûr de l'avoir touché deux fois mais sans résultat.

— L'idée de tuer cette bête m'écœure, mais tâche de viser le cheval.

— J'ai essayé plusieurs fois. » Il jeta son revolver à ses pieds et en prit un second. « Ce qu'on dit est vrai : seule une balle d'argent est capable de tuer Morgenstern. »

Il tua six chiens : il en restait deux douzaines.

Je lui passai un de mes revolvers. Il en tua cinq autres.

« Je garde le dernier chargeur pour la tête de Julian quand il sera suffisamment près. »

Nos poursuivants étaient à une quinzaine de mètres de nous et se rapprochaient sans cesse. Je freinai à mort. Quelques chiens ne réussirent pas à s'arrêter à temps, mais Julian disparut brusquement : un nuage sombre nous survola.

Morgenstern avait sauté par-dessus la voiture. Il finit par pivoter, tourner sur lui-même. Au moment où cheval et cavalier nous faisaient face, j'emballai le moteur et démarrai en catastrophe.

Morgenstern nous évita d'un saut magnifique. Je vis dans le rétroviseur deux chiens mettre en pièces un pare-chocs qu'ils avaient arraché, et reprendre leur poursuite. Certains étaient couchés sur la route : il n'en restait plus que quinze ou seize pour nous donner la chasse.

« Joli numéro, dit Random, mais nous avons de la chance qu'ils ne se soient pas attaqués aux pneus. Sans doute n'ont-ils jamais chassé de voiture. »

Je lui passai mon dernier revolver : « Descends-en encore quelques-uns. »

Il fit feu avec une parfaite justesse de tir. Il en tua six.

Julian était maintenant à côté de la voiture, une épée dans la main droite.

J'appuyai sur le klaxon, espérant effrayer Morgenstern, mais sans succès. Je fis une embardée de leur côté : le cheval nous évita sans effort. Random se baissa sur son siège et visa sur ma gauche.

« Ne tire pas encore, dis-je, je vais essayer de l'avoir. »

Je freinai à mort de nouveau.

« Tu es fou », dit-il.

Il baissa quand même son arme.

La voiture arrêtée, j'ouvris violemment la portière et sautai à terre — nu-pieds! Vacherie!

Je me baissai instinctivement pour éviter l'épée de Julian, lui saisit le bras, et tirai de toutes mes forces. Il m'assena un coup sur la tête de sa main gantelée : je vis trente-six chandelles accompagnées d'une terrible douleur.

Il restait allongé là où il était tombé, groggy. Les chiens m'entouraient et commençaient à me mordre. Random les chassait à coups de pied. Je saisis l'épée de Julian et la lui posai sur la gorge. Je hurlai :

« Rappelle tes chiens ou je te cloue au sol! »

Il cria des ordres. Les animaux s'écartèrent. Random tenait avec peine Morgenstern par la bride.

« Qu'as-tu à dire pour ta défense, mon cher frère? »

Un éclair bleu et glacé traversa les yeux de Julian, mais son visage resta impassible.

« Si tu veux me tuer, fais-le, dit-il.

— Je le ferai quand je le jugerai bon. » La vue de son impeccable armure souillée de boue me remplissait d'aise. « Quel prix accordes-tu à la vie?

— Tout ce que je possède évidemment. »

Je reculai.

« Lève-toi, monte dans la voiture. Derrière. »

Il obéit, après que je lui ai pris sa dague. Random reprit sa place, le pistolet pointé vers la tête de Julian.

« Pourquoi ne pas le tuer tout simplement? » demanda-t-il.

« Il doit pouvoir nous être utile. J'ai des tas de choses à lui demander, et nous avons pas mal de trajet à faire encore. »

Je démarrai. Les chiens nous escortèrent. Morgenstern allait l'amble près de la voiture.

« Je crains de ne pas vous servir à grand-chose en tant que prisonnier, fit remarquer Julian. Même si vous me torturez, je ne vous dirai que ce que je sais, et ce n'est pas beaucoup.

— Commence toujours, dis-je.

— Eric semble avoir la position la plus forte, car il s'est trouvé sur place en Ambre quand tout a commencé. Je lui ai offert mon soutien. J'aurais sans doute agi de même si ç'avait été l'un de vous. Eric m'a chargé de monter la garde en Arden, qui est l'une des routes principales. Gérard contrôle les mers du Sud, et Caine celles du Nord.

— Et Benedict? demanda Random.

— Je ne sais pas. On ne m'a pas parlé de lui. Il est peut-être avec Bleys. Ou quelque part dans Ombre. Il est peut-être mort. Ça fait des années qu'il n'a pas donné signe de vie.

— Combien d'hommes as-tu en Arden? demanda Random.

— Un millier. Certains d'entre eux doivent être en train de vous surveiller en ce moment.

— S'ils tiennent à vivre, j'espère pour eux qu'ils n'iront pas plus loin que la surveillance, dit Random.

— Tu as sans doute raison. Corwin a été très malin en me faisant prisonnier au lieu de me tuer. Ça vous permettra peut-être de traverser la forêt.

— Tu dis ça uniquement parce que tu veux vivre, dit Random.

— Bien sûr que je veux vivre. Ça te gêne?

— Pourquoi?

— En paiement des informations que je vous ai fournies. »

Random rit.

« Tu nous en as fourni très peu. Je suis sûr qu'on peut t'en arracher davantage. On verra quand on pourra s'arrêter. D'accord Corwin?

— On verra. Où est Fiona?

— Quelque part dans le Sud, je crois.

— Et Deirdre?

— Je ne sais pas.

— Llewella?

— A Rebma.

— Je crois que tu nous as dit tout ce que tu savais.

— C'est vrai. »

Nous avons roulé en silence. La forêt devenait moins dense. Morgenstern avait disparu depuis longtemps, mais le faucon se montrait de temps en temps. La route se mit à monter vers un col assez lointain, entre deux montagnes violettes. Il restait un peu plus du quart du réservoir. Moins d'une heure plus tard nous franchissions le col.

« Un endroit idéal pour bloquer la route, dit Random.

— En effet, dis-je. Qu'en penses-tu Julian? »

Il soupira.

« En effet, admit-il. Vous allez bientôt arriver au barrage. Vous possédez le moyen de le franchir. »

Nous le possédions. Un garde en cuir vert et brun, l'épée au clair, s'avança vers nous. Je montrai Julian avec mon pouce et dis : « Tu veux un dessin? »

Inutile. Il nous reconnut aussi, se dépêcha de lever la grille et nous salua au passage.

Il y eut trois autres barrages avant la fin du col. Nous avions perdu le faucon sans nous en rendre compte. Nous étions maintenant à plusieurs milliers de mètres d'altitude. Je freinai sur une route qui serpentait le long d'une falaise. A notre droite, le vide d'un précipice.

« Sors, dis-je. Tu vas faire une petite promenade. »

Julian pâlit.

« Je ne ramperai pas pour avoir la vie sauve. Je ne vous supplierai pas. » Il sortit.

« Ça fait des semaines que je n'ai pas vu quelqu'un ramper devant moi... dis-je. Mets-toi au bord, là-bas. Un peu plus près s'il te plaît. » Random gardait le pistolet pointé vers sa tête. « Tu as dit tout à l'heure que tu aurais probablement offert ton soutien à celui qui aurait été à la place d'Eric.

— C'est exact.

— Regarde en bas. »

Il le fit. C'était diablement profond.

« Bon, souviens-t'en si les événements changent. Et souviens-toi de celui à qui tu dois la vie alors qu'un autre te l'aurait prise. Viens Random, en route. »

Nous l'avons laissé au bord du précipice, souffle court, sourcils froncés.

Nous n'avions presque plus d'essence en arrivant au sommet. Je mis la voiture au point mort, arrêtai le moteur, et la laissai descendre en roue libre.

« Je m'aperçois que tu n'as rien perdu de ta ruse habituelle, dit Random. Personnellement, je l'aurais tué pour ce qu'il a essayé de faire. Mais je pense que tu as bien fait : si nous arrivons à coincer Eric, il nous soutiendra. En attendant il va tout lui raconter.

— Bien entendu.

— Et tu as beaucoup plus de raisons qu'aucun de nous de le voir mort. »

Je souris.

« Les sentiments personnels se marient assez mal avec une bonne politique, la loi, ou les affaires. »

Random alluma deux cigarettes et m'en tendit une.

C'est à travers la fumée que j'aperçus la mer pour la première fois. Sous un ciel sombre, profond comme un ciel nocturne, où s'incrustait un soleil d'or, elle était tellement riche — épaisse comme de la peinture, tramée comme une étoffe d'un bleu royal, presque violet — et j'en fus tellement troublé que je fus incapable de la regarder plus longtemps. Je m'aperçus que je parlais dans une langue que je connaissais sans le savoir. Je récitais *La Ballade des passeurs d'eau.* Random écouta jusqu'à la fin et me demanda : « On a souvent dit que c'est toi qui l'avais écrite. Est-ce vrai?

— Je m'en souviens plus, ça fait si longtemps. »

La falaise s'abaissait de plus en plus sur la gauche. Nous descendions vers une vallée boisée, et la mer se dévoilait petit à petit à nos yeux.

« Le phare de Cabra », dit Random avec un geste vers une énorme tour grise qui se dressait au large. « Jamais je ne pourrai l'oublier.

— Moi non plus. Ça me fait tout drôle de le revoir. » Nous ne parlions plus anglais, mais une langue appelée thari.

Au bout d'une heure et demie, nous sommes arrivés au bas de la côte. Je roulai en roue libre aussi longtemps que je le pus, puis je remis le moteur en marche. Le bruit fit s'envoler d'un bosquet une bande d'oiseaux noirs. Quelque chose de gris, qui ressemblait à un loup, sortit d'un fourré et sauta dans un autre : le cerf qu'il convoitait, invisible jusque-là, s'enfuit en bondissant. Nous étions dans une vallée luxuriante qui descendait doucement vers la mer.

Les montagnes se dressaient, hautes et majestueuses. Plus nous avancions dans la vallée, plus la nature se déployait devant nous, et nous avions une vue d'ensemble de la masse de rochers par lesquels nous étions descendus. Les montagnes continuaient jusqu'à la mer, en s'élargissant, leurs flancs colorés comme un voile changeant, vert, mauve, violet, or et indigo. La face tournée vers la mer était invisible de la vallée, mais derrière le pic le plus lointain et le plus élevé, on voyait tourbillonner une légère fumée que le soleil embrasait de temps en temps. Je calculai que nous étions à une cinquantaine de kilomètres du but, et le compteur d'essence était presque à zéro. Je savais qu'il fallait atteindre ce pic lointain. L'impatience me gagna. Random regardait dans la même direction.

« Toujours là, fis-je.

— J'avais presque oublié. »

En changeant de vitesse, je remarquai que mon pantalon avait pris une teinte brillante qu'il n'avait pas auparavant. Il était également très ajusté et étroit aux chevilles. Mes manchettes avaient disparu. Je remarquai ensuite la chemise.

Elle ressemblait plutôt à une veste. Elle était noire, bordée d'argent. Ma ceinture s'était considérablement élargie.

Après un examen plus minutieux, je vis que les coutures extérieures de mon pantalon étaient bordées d'argent.

« Me voilà vêtu pour la circonstance », ai-je dit pour voir sa réaction.

Random gloussa. Il s'était transformé lui aussi : pantalon brun rayé de rouge, chemise orange et brun. Une cape brune, bordée de jaune était posée à côté de lui sur le siège.

« Je me demandais si tu finirais par t'en rendre compte, dit-il. Comment te sens-tu?

— Très bien. Au fait, nous n'avons presque plus d'essence.

— Trop tard pour y remédier, dit-il. Nous sommes maintenant dans le monde réel. L'effort qu'il faudrait déployer pour jouer avec les Ombres serait terrifiant. En outre, il ne passerait pas inaperçu. Quand nous n'aurons plus du tout d'essence, nous serons obligés d'aller à pied. »

C'est ce qui arriva au bout de cinq kilomètres. Je rangeai la voiture sur le bas-côté de la route. A l'ouest, le soleil était en train de faire ses adieux. Les ombres s'étaient allongées.

Je tendis la main vers le siège arrière. Mes chaussures s'étaient transformées en bottes noires. Quelque chose glissa au moment où j'allais les prendre.

Je saisis une épée d'argent assez lourde avec son fourreau qui s'adaptait parfaitement à ma ceinture. Il y avait également un manteau noir avec une agrafe d'argent en forme de rose.

« Tu croyais qu'ils étaient perdus à jamais? demanda Random.

— J'en étais presque convaincu. »

Nous sommes sortis de la voiture et nous avons commencé de marcher. La soirée était fraîche et parfumée. Des étoiles apparaissaient déjà à l'est, et le soleil plongeait vers l'horizon.

Nous marchions le long de la route. Random déclara soudain :

« Je ne me sens pas tout à fait à l'aise.

— C'est-à-dire?

— Tout s'est passé trop facilement jusqu'ici. Je n'aime pas ça. Nous avons réussi à traverser la forêt d'Arden avec une seule petite anicroche. Julian a essayé de nous avoir, d'accord... mais je ne sais pas... Nous avons réussi jusqu'ici avec une telle facilité que je me demande si on ne nous a pas laissé faire.

— J'y ai pensé moi aussi. » C'était un mensonge. « Qu'est-ce que ça présage d'après toi?

— Que nous sommes peut-être en train de nous fourrer dans un piège. »

Nous avons continué à marcher en silence pendant quelques minutes.

« Une embuscade? dis-je. Ces bois me semblent étrangement calmes.

— Je ne sais pas. »

Nous avons fait encore trois kilomètres, puis le soleil disparut. La nuit était noire, cloutée d'étoiles.

« Ce n'est pas une façon de voyager pour deux hommes comme nous, dit Random.

— Très juste.

— Ce ne serait pas très prudent non plus d'aller chercher des chevaux.

— C'est certain.

— Qu'est-ce qui va sortir de cette situation?

— La mort. Ils vont sûrement nous tomber dessus très bientôt.

— Tu crois qu'on devrait abandonner la route?

— J'y ai songé », c'était encore un mensonge, « et je ne

vois pas en quoi le fait d'abandonner la route serait humiliant pour toi ou pour moi. »

Ainsi fut fait.

Nous avancions parmi les arbres en évitant les formes sombres des rochers et des buissons. La lune se leva lentement, énorme et argentée.

« J'ai le sentiment qu'on n'y arrivera pas, dit Random.

— Quel crédit peut-on accorder à ce sentiment?

— Grand crédit.

— Pourquoi?

— Trop loin et trop vite, répondit-il. Je n'aime pas ça du tout. Nous nous trouvons maintenant dans le monde réel. Il est trop tard pour revenir en arrière. Nous ne pouvons pas jouer avec les Ombres. Ne nous fions qu'à nos épées. » (Il en portait une lui-même, courte et polie.) « Je pense que c'est par la volonté d'Eric que nous sommes arrivés jusqu'ici. Il n'y a plus grand-chose à y faire, mais maintenant que nous sommes là, j'aurais préféré me battre pour chaque pouce de chemin. »

Nous avons continué à marcher encore deux kilomètres et nous nous sommes arrêtés pour fumer une cigarette en la cachant derrière nos paumes.

« Quelle nuit exquise, dis-je à Random et à la brise nocturne.

— Je suppose... Qu'est-ce que c'est? »

Un bruissement dans un buisson, pas loin de nous.

« Un animal sans doute. »

Il avait tiré son épée.

Nous avons attendu plusieurs minutes. Rien d'autre ne s'est produit.

Il a remis son arme dans son fourreau et nous sommes repartis.

Il n'y eut plus de bruits derrière nous, mais au bout d'un moment, quelque chose devant nous.

Je jetai un regard à Random. Il fit un signe de tête. Nous avons redoublé de précautions.

Dans le lointain, il y avait une lueur pâle, comme un feu de camp.

Nous n'entendions plus de bruits, mais j'ai interprété son haussement d'épaules comme une approbation : je lui avais fait signe de nous diriger vers cette lueur, sur la droite.

Nous avons mis près d'une heure pour atteindre le camp. Quatre hommes étaient assis autour du feu, et deux dormaient dans l'ombre, à l'écart. La jeune fille qui était attachée à un poteau avait la tête tournée dans la direction opposée, mais en l'apercevant, je sentis mon cœur battre plus vite.

« Est-ce que ça ne serait pas... »

Elle tourna la tête et je la reconnus.

« Deirdre!

— Je me demande ce que cette idiote a pu faire? dit Random. D'après les couleurs que portent ces types, je pense qu'ils la ramènent en Ambre. »

Ils portaient du noir, du rouge et de l'argent, couleurs qui, d'après les Atouts et des souvenirs confus, étaient celles d'Eric.

« Eric la veut, mais il ne l'aura pas, dis-je.

— Je n'ai jamais eu beaucoup d'affection pour Deirdre, répondit Random, mais toi, c'est différent. Alors... » Il dégaina son épée.

Je fis de même.

« Tiens-toi prêt », lui dis-je en me baissant.

Nous avons bondi sur eux.

Deux minutes environ, c'est le temps qu'il nous a fallu.

Elle nous regardait. Le feu donnait à son visage un masque mouvant. Elle se mit à rire et à pleurer, nous appela par nos noms d'une voix forte et effrayée. Je coupai ses liens et je l'aidai à se relever.

« Bonsoir ma sœur. Veux-tu te joindre à nous sur la route d'Ambre?

— Sûrement pas, dit-elle. Je tiens à rester en vie. Pourquoi allez-vous en Ambre... comme si je ne le savais pas.

— Il y a un trône à conquérir », dit Random, et j'appris du coup la nouvelle, « nous sommes parties prenantes.

— Si vous étiez intelligents, vous resteriez à l'écart et vous vivriez longtemps », dit-elle. Dieu qu'elle était charmante malgré sa fatigue et ses vêtements abîmés.

Je la serrai dans mes bras. Random aperçut une outre de vin et nous offrit à boire.

« Eric est le seul prince d'Ambre resté sur place, dit-elle, les troupes lui sont fidèles.

— Je n'ai pas peur d'Eric, répondis-je sans être tout à fait certain de ce que j'avançais.

— Il ne vous laissera jamais entrer en Ambre, dit-elle. J'étais prisonnière moi-même jusqu'à avant-hier. J'ai réussi à fuir par l'un des passages secrets. J'ai cru que je pourrais aller dans les Ombres jusqu'à ce que tout s'arrange, mais ce n'était pas facile, si près du monde réel. Ses soldats m'ont découverte ce matin. Ils étaient en train de me reconduire là-bas. Je crois qu'Eric m'aurait tuée si j'étais retombée en son pouvoir. De toute façon je n'aurais plus été qu'un pantin. Je me demande si Eric n'est pas fou... mais je n'en suis pas sûre.

— Que devient Bleys? demanda Random.

— Il envoie des choses des Ombres et ça inquiète beaucoup Eric. Mais il n'a jamais attaqué avec sa force réelle, ce qui inquiète Eric également, car la disposition de la Couronne et du Sceptre reste incertaine même si Eric tient ce Sceptre dans sa main droite.

— Je vois. Parle-t-il de nous?

— Pas de toi Random. De Corwin, oui. Il craint toujours qu'il revienne en Ambre. Vous êtes encore en sécurité pendant huit kilomètres environ... au-delà, chaque pouce de terrain est un danger. Chaque arbre, chaque rocher est un traquenard et un piège. A l'intention de Bleys et de Corwin. Il vous a laissé arriver jusqu'ici pour vous mettre dans l'incapacité de recourir aux Ombres et d'échapper à son pouvoir. Il vous sera absolument impossible à l'un et à l'autre d'entrer en Ambre sans tomber dans un de ses pièges.

— Tu t'es échappée pourtant...

— C'était différent. J'essayais de sortir, pas d'entrer. Peut-être aussi ne m'a-t-il pas fait garder avec autant de soin qu'il le fera pour l'un de vous, car je suis une femme et je n'ai aucune ambition. De toute façon, comme vous voyez, je n'ai pas réussi.

— Maintenant tu as réussi, dis-je, aussi longtemps que mon épée sera libre de te défendre. »

Elle m'embrassa sur le front et me prit la tête dans ses mains. Avec moi, ça marchait toujours.

« Je suis sûr qu'on nous suit », dit Random. Nous nous sommes fondus ensuite dans l'obscurité et nous sommes restés allongés sous un buisson, en surveillant notre chemin.

Au bout d'un moment, nos murmures me firent comprendre que c'était à moi de prendre une décision. La question était vraiment très simple : qu'allions-nous faire?

C'était une question fondamentale. Je ne pouvais plus donner le change. Je ne pouvais pas me fier à eux, même à cette chère Deirdre, je le savais. Mais il fallait que je sois franc avec quelqu'un. Random était jusqu'au cou avec moi dans l'affaire, et Deirdre était ma sœur préférée.

« Mes bien-aimés frère et sœur, leur dis-je, j'ai un aveu à vous faire. » Random avait déjà la main sur le pommeau de son épée. Telle était la confiance qui régnait entre nous. Je pouvais presque entendre son cerveau cliqueter : *Corwin m'a amené ici pour me trahir.*

« Si tu m'a amené ici pour me trahir, dit-il, tu ne me ramèneras pas vivant!

— Tu plaisantes? C'est ton aide que je veux, pas ta tête. L'aveu que j'ai à faire est celui-ci : je n'ai pas la moindre idée de ce qui se passe. J'ai joué aux devinettes mais j'ignore absolument où nous sommes, ce qu'est Ambre, pourquoi nous sommes aplatis dans les buissons pour éviter des soldats, et même qui je suis exactement. »

Il y eut un long silence. Puis Random murmura : « Qu'est-ce que tu veux dire?

— Explique-toi, dit Deirdre.

— Je veux dire que je me suis arrangé pour t'aveugler Random. Tu n'as pas trouvé bizarre que je me contente de conduire la voiture pendant le voyage?

— C'était toi le patron. J'ai cru que tu combinais des plans. Tu as fait des choses très astucieuses pendant le voyage. Je sais que tu es Corwin.

— Moi, je ne l'ai découvert que depuis deux jours. Je sais que je suis celui que tu appelles Corwin, mais j'ai eu un accident il y a quelque temps. J'ai été blessé à la tête — je vous montrerai les cicatrices quand nous aurons un peu de lumière — et je souffre d'amnésie. Je ne comprends rien à ce que vous racontez à propos des Ombres. Je me souviens à peine d'Ambre. Je me souviens seulement de ma famille, à laquelle je ne dois accorder aucune confiance. Voilà mon histoire. Que pouvons-nous faire?

— Nom de Dieu! dit Random. Je comprends maintenant! Tous les petits détails qui m'ont étonné pendant le voyage... Comment as-tu pu aveugler Flora aussi complètement?

— Un coup de chance. De la prudence aussi. Non! Ce n'est pas ça! Elle s'est conduite stupidement. Mais maintenant j'ai vraiment besoin de toi.

— Crois-tu qu'on peut réussir à pénétrer dans les Ombres? demanda Deirdre à Random.

— Oui, dit-il, mais je suis contre. Ce que je veux c'est voir Corwin en Ambre, et la tête d'Eric empalée au bout d'une lance. Je suis prêt à courir tous les risques pour voir ça. Je refuse donc de revenir en arrière vers les Ombres. Allez-y si vous voulez. Tout le monde pense que je suis une chiffe molle et un bluffeur. Vous allez voir. J'irai jusqu'au bout.

— Merci frère, dis-je.

— Mauvaises rencontres par clair de lune, dit Deirdre.

— Tu pourrais être encore attachée à ton poteau », dit Random.

Elle ne répondit rien.

Nous sommes restés là un moment. Trois hommes sont arrivés dans la clairière. Ils ont regardé autour d'eux, et se sont baissés pour renifler le sol. Ils ont porté leur regard dans notre direction.

« Attention », murmura Random.

Je vis la chose se produire, mais en ombres chinoises. Ils se retrouvèrent à quatre pattes. Le clair de lune joua des tours étranges à leurs vêtements gris. Puis nous avons vu flamboyer les six yeux de nos poursuivants.

J'empalai le premier loup sur mon épée d'argent : il y eut un hurlement humain. Random en décapita un autre d'un seul coup. A ma grande surprise, je vis Deirdre soulever le troisième et lui casser les reins sur son genou avec un bruit sec.

« Vite ton épée! » dit Random.

J'embrochai sa victime et celle de Deirdre. Il y eut d'autres hurlements.

« Nous ferions mieux de filer en vitesse, dit Random. Par ici! »

Nous l'avons suivi.

« Où allons-nous? demanda Deirdre après une heure de marche silencieuse au milieu des broussailles.

— A la mer, répondit Random.

— Pourquoi?

— C'est là que se trouve la mémoire de Corwin.

— Où ça? Comment?

— Rebma bien sûr.

— On te tuera et on jettera ton corps aux poissons.

— Je n'irai pas jusqu'au bout. Tu prendras le relais sur la côte et tu parleras avec la sœur de ta sœur.

— Tu veux qu'il subisse encore une fois l'épreuve de La Marelle?

— Oui.

— C'est risqué.

— Je sais... Écoute Corwin, tu as été assez chic avec moi. Si par extraordinaire tu n'es pas vraiment Corwin, tu es un homme mort. Mais je suis sûr que tu es Corwin. Tu ne peux pas être quelqu'un d'autre. Pas après la façon dont tu as agi, et sans mémoire. Non, ma main à couper. Cours le risque et essaie ce qu'on appelle La Marelle. L'enjeu, c'est ta mémoire. Tu acceptes?

— Probablement. Dis-moi d'abord ce qu'est La Marelle.

— Rebma est la ville fantôme. C'est le reflet d'Ambre dans la mer. Tout ce qui se trouve en Ambre s'y retrouve en double, comme dans un miroir. Le peuple de Llewella y vit comme si c'était Ambre. On m'y hait à cause de quelques peccadilles, je ne peux donc m'y aventurer avec toi, mais si tu leur parles loyalement en faisant allusion à ta mission, je suis sûr qu'ils te laisseront traverser La Marelle de Rebma qui est l'envers de celle d'Ambre, mais qui doit avoir le même effet. Autrement dit, elle donne à un fils de notre père le pouvoir d'évoluer parmi les Ombres.

— En quoi ce pouvoir m'aidera-t-il?

— Il te fera découvrir qui tu es.

— Alors j'accepte, dis-je.

— Bravo. Dans ce cas, nous continuons vers le sud. Il nous faudra plusieurs jours pour atteindre l'escalier... Tu l'accompagneras Deirdre?

— J'accompagnerai mon frère Corwin. »

Je savais qu'elle le ferait, et j'étais content. J'avais peur, mais j'étais content.

Nous avons marché toute la nuit en évitant trois détachements de troupes armées, et au matin, nous avons dormi dans une grotte.

5.

Il nous a fallu deux nuits pour atteindre les sables rose et gris de la grande mer. Au matin du troisième jour, nous avons aperçu la plage, après avoir évité, par chance, un petit détachement au dernier coucher de soleil. C'était dangereux de nous y aventurer à découvert, du moins tant que nous n'avions pas localisé avec précision *Faiella-bionin*, l'Escalier qui menait à Rebma. Une fois celui-ci repéré, nous pouvions traverser rapidement la plage pour y accéder.

Le soleil levant faisait naître des millions de diamants dans la houle écumeuse, et nos yeux étaient tellement éblouis par leur danse que nous ne pouvions pas voir les profondeurs. Nous n'avions vécu que de fruits et d'eau pendant deux jours. La faim me tenaillait. Mais j'oubliai tout en découvrant l'immense plage tigrée avec ses creux soudains, ses ressauts corail, orange, rose et rouge, et ses cachettes inattendues de coquillages, de bois flotté et de petits galets polis. En découvrant aussi la mer : ses vagues montantes et descendantes qui s'éclaboussaient doucement, toutes d'or et de bleu, de pourpre royale, en lançant en avant leur chant de vie comme une bénédiction sous le ciel violet de l'aube.

Kolvir, la montagne qui fait face à l'aurore et qui toujours a porté Ambre comme une mère porte son enfant, se dressait à trente kilomètres environ sur notre gauche, en direction du nord, et le soleil la colorait d'or en faisant flotter au-dessus de la ville un arc-en-ciel, comme un voile irisé. Random regarda tout cela et grinça des dents, puis détourna son regard. J'en fis peut-être autant.

Deirdre me toucha la main, fit un signe de tête et se mit en marche vers le nord, en suivant le rivage. Nous l'avons suivie, Random et moi. Elle semblait avoir aperçu un repère.

Nous avons marché pendant cinq cents mètres. Puis la terre trembla légèrement.

« Des chevaux! siffla Random.

— Regardez! » dit Deirdre, la tête levée, l'index pointé vers le ciel.

Un faucon tournait au-dessus de nous.

« C'est encore loin? demandai-je.

— Ce tumulus de pierres », dit-elle. Il était à environ cent mètres. Haut de deux mètres cinquante, construit en pierres grises de la grosseur d'une tête, de forme pyramidale, usé par le vent, le sable et la mer.

Le bruit des sabots s'amplifia, puis un cor se fit entendre au loin. Mais ce n'était pas celui de Julian.

« Courons! » dit Random.

Au bout de quelques secondes, le faucon descendit, fondit sur Random qui avait tiré son épée. Il lui décocha un coup. L'oiseau porta alors son attention sur Deirdre.

J'arrachai mon épée de son fourreau et j'essayai de lui donner un coup à mon tour. Des plumes volèrent. L'oiseau s'éleva et s'abattit encore une fois. Mon épée toucha quelque chose de dur — il avait dû tomber, mais je n'en étais pas sûr et je ne pouvais pas perdre de temps à vérifier. Le bruit des sabots était maintenant régulier et fort. Le cor tout proche.

Nous avons atteint le tumulus. Deirdre a tourné à angle droit et s'est dirigée vers la mer.

Je n'allais pas discuter avec elle puisqu'elle avait l'air de savoir ce qu'elle faisait. Je la suivis donc. Du coin de l'œil, j'aperçus les cavaliers.

Ils étaient encore loin mais ils galopaient sur la plage avec un bruit de tonnerre, chiens hurlant et cors sonnant. Nous courions comme des fous vers la mer, Random et moi, à la suite de notre sœur.

Nous avions de l'eau jusqu'à la taille quand Random a crié : « C'est la mort si je reste et la mort si je continue. »

J'ai répondu :

« L'une des deux est imminente, l'autre peut se négocier. Continuons ! »

Nous étions sur un fond rocheux qui s'enfonçait dans la mer. Je ne savais pas comment nous allions respirer, mais Deirdre ne semblait pas s'en inquiéter. J'essayai d'en faire autant.

Mais inquiet, je l'étais.

Mon inquiétude ne fit que croître lorsque l'eau gicla en tournoyant près de nos visages. Deirdre marcha droit devant elle, ou plutôt descendit. Je suivis. Random également.

Chaque pas nous enfonçait davantage. Je savais que nous descendions un gigantesque escalier qui avait nom *Faiella-bionin*.

Encore une marche et l'eau allait me couvrir la tête. Deirdre était déjà en dessous.

Je pris une profonde inspiration et je suivis. Je me demandai pourquoi mon corps ne se mettait pas à flotter. Je continuai à rester debout, et j'enfonçais à chaque pas comme sur un escalier normal. Mes mouvements étaient un peu lents. Je commençai à me demander ce qui se passerait quand je ne pourrais plus retenir mon souffle.

Des bulles se formèrent autour de la tête de Random et de Deirdre. J'essayai de comprendre ce qu'ils faisaient, mais sans succès. Leur poitrine semblait se soulever et s'abaisser de façon normale.

A quatre mètres environ sous la surface de la mer, Random me jeta un coup d'œil et j'entendis sa voix. C'était comme si j'avais l'oreille collée au fond d'une baignoire, et ses paroles m'arrivaient comme si quelqu'un donnait des coups de pied contre cette baignoire.

Elles étaient pourtant très claires :

« Ils obligeront peut-être les chevaux à les suivre, mais pas les chiens. »

J'essayai de dire : « Comment fais-tu pour respirer? » J'entendis mes propres paroles comme si elles venaient de loin.

« Détends-toi, dit-il vivement. Ne retiens pas ta respiration. Relâche-la et ne t'inquiète pas. Si tu ne t'aventures pas au-delà de l'escalier, tu pourras respirer.

— Comment est-ce possible?

— Tu le sauras si nous réussissons. » Sa voix résonna dans l'eau verte et mouvante.

Nous étions à sept ou huit mètres de profondeur. Je soufflai une petite quantité d'air et j'essayai de respirer pendant une seconde.

La sensation n'avait rien de désagréable. Je renouvelai l'expérience. Beaucoup de bulles, mais à part ça, la transition était très supportable.

Pas la moindre augmentation de pression pendant les trois ou quatre mètres suivants. Je voyais l'escalier que nous descendions à travers un brouillard verdâtre. Plus bas, toujours plus bas. Tout droit. Direct. Une espèce de lueur venait d'en dessous.

« Si nous parvenons jusqu'au passage voûté, nous serons sauvés, dit ma sœur.

— *Vous* serez sauvés », rectifia Random.

Je me demandai ce qu'il avait pu faire pour être méprisé dans ce lieu nommé Rebma.

« Si leurs chevaux n'ont jamais fait ce voyage, ils seront obligés de nous suivre à pied, dit Random. Dans ce cas, nous y arriverons.

— Il est possible qu'ils ne nous suivent pas », dit Deirdre.

Nous allions le plus vite possible.

A une vingtaine de mètres de profondeur, l'eau devint sombre et froide, mais la lueur s'intensifia. Au bout d'une dizaine de marches, je pus en déceler la source.

Un pilier s'élevait sur la droite. Au sommet de ce pilier brillait une sorte de globe. Quinze marches plus bas, un pilier identique surgit sur la gauche. Au-delà, il semblait y en avoir un autre sur la droite. Et ainsi de suite.

Lorsque nous sommes arrivés à proximité de la lueur, l'eau se réchauffa et l'escalier lui-même s'éclaira : il était blanc, veiné de rose et de vert, et ressemblait à du marbre, mais ne glissait pas. Large de sept mètres environ, avec de chaque côté une rampe.

Des poissons nageaient autour de nous. Je regardai par-dessus mon épaule mais je ne vis pas nos poursuivants.

L'eau s'éclairait à mesure que nous descendions. Nous sommes arrivés sous le premier pilier. Ce n'était pas un globe qui se trouvait à son sommet. Mon cerveau, par une timide tentative de rationalisation du phénomène, avait dû me suggérer cette idée. C'était une flamme, de sept mètres de haut, qui dansait comme une torche gigantesque. Je décidai d'éclaircir ce mystère plus tard, et d'économiser mon — si vous me permettez l'expression — mon souffle, car nous descendions très vite.

Après avoir pénétré dans l'allée illuminée et dépassé six autres torches, Random dit : « Ils nous suivent. » Je regardai derrière moi : quatre silhouettes de cavaliers se dessinaient dans le lointain.

C'est une étrange sensation que de rire sous l'eau et de s'entendre soi-même. Je touchai le pommeau de mon épée en disant :

« Ne t'occupe pas d'eux. Nous avons réussi à venir jusqu'ici. Je sens une force en moi! »

Nous avons quand même pressé le pas, en tournant à gauche, puis à droite. L'eau devint d'un noir d'encre. Seul l'escalier restait éclairé, ce qui me permit d'apercevoir au loin une arche gigantesque.

Deirdre sautait les marches deux à deux. Derrière nous le martèlement des sabots était comme une vibration.

Les quatre hommes armés — qui occupaient toute la largeur de l'escalier — étaient encore loin derrière et au-dessus de nous. Mais ils gagnaient du terrain. Nous suivions Deirdre qui courait. J'avais la main sur mon épée.

Trois, quatre, cinq torches? Je regardai de nouveau en arrière. Les cavaliers étaient à quinze mètres au-dessus de nous. Les fantassins étaient hors de vue. L'arche brillait comme de l'albâtre, avec des tritons sculptés, des nymphes, des sirènes et des dauphins. Des gens semblaient nous attendre.

« Ils doivent se demander pourquoi nous sommes venus ici, dit Random.

— La question sera des plus oiseuses si nous ne réussissons pas », répondis-je en redoublant d'efforts, un nouveau coup d'œil en arrière m'ayant appris que les cavaliers avaient encore gagné quelques mètres.

Je dégainai mon épée qui scintilla à la lumière des torches. Random suivit.

Une autre vingtaine de marches, puis les vibrations devinrent terrifiantes. Nous avons dû faire volte-face pour éviter de nous faire tuer par-derrière.

Ils étaient sur nous. Le portail se trouvait à une trentaine de mètres, mais ç'aurait été pareil s'il s'était trouvé à des kilomètres. A moins de cueillir les quatre cavaliers.

Je me ramassai sur moi-même pendant que l'homme qui me faisait face levait son épée. Il y avait un autre cavalier à sa droite, légèrement en arrière. Je me portai naturellement sur sa gauche, près de la rampe. Comme il tenait son épée de la main droite, il fut obligé de se fendre pour frapper.

Je parai le coup en quarte et je ripostai.

Il était penché très en avant sur sa selle, et la pointe de mon épée lui entra dans le cou par le côté droit.

Une large traînée de sang, semblable à une épaisse fumée cramoisie, s'éleva dans la lumière verdâtre. Je souhaitai bêtement que Van Gogh soit là.

Le cheval continua sa course. Je sautai derrière le second cavalier.

Il se retourna pour éviter mon coup, mais la rapidité de sa course dans l'eau et la violence de mon attaque le désarçonnèrent. Je lui donnai un coup de pied qui le fit dériver au-dessus de moi. Je me fendis pour lui porter un coup qu'il para, ce qui l'entraîna au-delà de la rampe. Il hurla lorsque la pression de l'eau s'abattit sur lui. Puis le silence.

Je regardai Random. Il avait tué un cheval et son cavalier. Il se battait maintenant contre un autre homme à pied. Le temps de m'approcher de lui, il avait tué l'homme. Le sang s'élevait paresseusement au-dessus d'eux et je pris soudain conscience que j'avais effectivement connu le fou, le triste, le malchanceux Vincent Van Gogh : c'était vraiment dommage qu'il ne soit pas là pour peindre ce que j'avais sous les yeux.

Les fantassins étaient à trente mètres de nous. Nous avons repris notre galopade vers les arcades. Deirdre y était déjà.

Après une course folle, nous avons réussi à passer. Plusieurs hommes armés vinrent à notre secours et les fantassins qui nous poursuivaient rebroussèrent chemin. Nous avons rengainé nos épées et Random a dit : « J'en ai ma claque. » Nous avons rejoint nos défenseurs.

On ordonna immédiatement à Random de rendre son épée. Il obéit en haussant les épaules. Deux hommes l'encadrèrent. Un troisième se plaça derrière lui. Nous avons continué à descendre l'escalier.

J'avais perdu toute notion du temps dans ce lieu aquatique mais je pense que nous avons marché entre un quart d'heure et une demi-heure avant d'arriver au but.

La porte d'or de Rebma s'élevait devant nous. Nous sommes entrés dans la ville.

On voyait tout à travers un brouillard vert. Il y avait des immeubles d'apparence fragile, très hauts pour la plupart, groupés selon leur style, dans des teintes qui pénétrèrent mes yeux et atteignirent ma mémoire, quêtant ma souvenance. Elles échouèrent. Leur quête n'aboutit qu'à faire naître cette douleur, maintenant familière, qui accompagne les souvenirs à moitié oubliés ou les souvenirs perdus. Je m'étais promené dans ces rues, cependant, ou dans des rues semblables.

Random n'avait pas dit un mot depuis qu'il avait été arrêté. Deirdre n'avait parlé que pour prendre des nouvelles de notre sœur Llewella. On lui avait dit qu'elle se trouvait à Rebma.

J'observai notre escorte. Il y avait des hommes dont les cheveux étaient verts, violets ou noirs, et leurs yeux étaient verts à l'exception d'un seul qui les avait noisette. Ils portaient tous des slips de cotte de mailles, des capes dont les courroies se croisaient sur leur poitrine, de courtes épées suspendues à une ceinture de coquillages. Aucune pilosité sur le corps. Ils ne m'adressèrent pas la parole, mais certains me regardèrent avec une sorte de défi. Je fus autorisé à garder mes armes.

Nous avons marché le long d'une large avenue, éclairée par des piliers-torches plus rapprochés les uns des autres que sur *Faiella-bionin*, et les gens nous regardèrent passer derrière des fenêtres octogonales, aux vitres teintées. Des poissons multicolores nageaient autour de nous. Un courant frais, comme une brise, se fit sentir quand nous avons tourné le coin de l'avenue. Après quelques pas, un courant chaud, comme un vent.

On nous conduisit au palais, qui était dans le centre de la ville. Je le reconnus comme une main reconnaît son gant. C'était une image du palais d'Ambre, voilée par le vert de l'eau et brouillée par les innombrables miroirs étrangement placés sur les murs, à l'intérieur et à l'extérieur. Une femme était assise sur un trône dans une salle de cristal. Je m'en souvenais presque. Ses cheveux étaient verts, striés d'argent, ses yeux ronds comme des lunes de jade. Ses sourcils s'ouvraient comme des ailes de mouette vert olive. Sa bouche était petite ainsi que son menton, ses pommettes hautes et rondes. Un bandeau d'or lui ceignait le front. A son cou brillait un collier de cristal au bout duquel étincelait un saphir entre deux seins nus aux tétons vert pâle. Elle portait une culotte en cotte de mailles bleue et une ceinture d'argent. Elle tenait dans la main droite, un sceptre de corail rose. Chacun de ses doigts était orné d'une bague sertie d'une pierre d'un bleu différent. Elle demanda sans sourire :

« Que cherchez-vous ici, vous les bannis d'Ambre? »

Sa voix était fluide et douce comme le murmure d'un ruisseau.

« Nous fuyons la colère du prince qui gouverne la ville réelle : Eric! répondit Deirdre. Pour être francs, nous souhaitons travailler à sa chute. S'il était aimé ici, nous serions perdus car vous seriez nos ennemis. Mais je sens qu'on ne l'aime guère ici. Nous venons donc, noble Moire, demander de l'aide.

— Je ne vous donnerai pas de troupes pour attaquer Ambre, répondit-elle. La guerre, vous le savez, se réfléchirait dans mon propre royaume.

— Ce n'est pas cela que nous vous demandons, chère Moire, continua Deirdre, mais une seule petite chose qui ne coûtera ni peine ni dommage à vous et à vos sujets.

— Dites-moi ce que vous demandez. Car Eric est presque aussi détesté ici que le lâche qui se tient à votre côté », dit-elle en désignant d'un geste mon frère qui la regardait avec insolence, un petit sourire au coin des lèvres.

Il était prêt, de toute évidence, à payer le prix de sa faute en véritable prince d'Ambre — comme l'avaient fait avant lui nos trois frères morts, je m'en suis brusquement souvenu. Il paierait en les narguant, le sang dans sa bouche ne l'empêcherait pas de rire, il mourrait en prononçant une malédiction irrévocable. J'avais ce pouvoir moi aussi, et j'en userais si les circonstances l'exigeaient.

« Ce que je demande est pour mon frère Corwin, reprit Deirdre. Il est également le frère de Lady Llewella qui demeure ici avec vous. Je crois qu'il ne vous a jamais fait offense...

— Cela est vrai. Pourquoi ne parle-t-il pas pour lui-même?

— C'est une partie du problème, Madame. Il ne peut pas parler, car il ignore ce qu'il doit demander. Une grande partie de sa mémoire s'est enfuie à la suite d'un accident survenu alors qu'il vivait au milieu des Ombres. C'est pour retrouver sa mémoire que nous sommes venus ici, pour retrouver le souvenir des jours anciens et lui permettre de combattre Eric en Ambre.

— Continuez, dit la femme assise sur le trône qui m'étudiait à travers l'ombre de ses cils.

— Il y a une salle où peu de gens s'aventurent dans ce palais. Sur le sol de cette salle, tracée en lignes de feu, se trouve le double de ce que nous appelons La Marelle. Seuls un fils ou une fille de feu le seigneur d'Ambre peuvent traverser cette Marelle sans mourir. Cette épreuve confère à celui qui la subit un pouvoir sur les Ombres. » Ici, Moire battit plusieurs fois des paupières, et je me demandai combien elle avait envoyé de sujets sur La Marelle afin de conquérir un peu de ce pouvoir pour le compte de Rebma. Sans succès, bien entendu. « Traverser La Marelle, continua Deirdre, devrait, à notre avis, restaurer la mémoire de Corwin, et l'aider à se souvenir qu'il est prince d'Ambre. C'est ici, à ma connaissance, qu'existe un double de La Marelle. Il nous est impossible, à cause d'Eric, de nous rendre sur l'original. »

Moire posa son regard sur ma sœur, puis sur Random et revint vers moi.

« Corwin veut-il tenter l'épreuve? » demanda-t-elle.

Je m'inclinai.

« Je le veux, Madame. » Elle me sourit.

« Parfait. Je vous y autorise. Je ne puis cependant vous donner, hors de mon royaume, aucune garantie de sécurité.

— Nous ne nous attendons à aucune faveur, Majesté. Nous en prendrons soin nous-mêmes après notre départ.

— Sauf en ce qui concerne Random, dit-elle, qui sera tout à fait en sécurité.

— Que voulez-vous dire? demanda Deirdre à la place de Random.

— Vous vous souvenez certainement que le prince Random

est venu un jour dans mon royaume comme un ami, et qu'il en est reparti en hâte avec ma fille Morganthe.

— Je l'ai entendu dire, Lady Moire, mais j'ignore le bien-fondé de cette histoire.

— Elle est vraie, dit Moire. Un mois plus tard, ma fille me revenait. Elle s'est suicidée quelques mois après la naissance de son fils Martin. Qu'avez-vous à répondre, prince Random?

— Rien, dit-il.

— Lorsque Martin fut en âge, il décida de traverser La Marelle parce qu'il était du sang d'Ambre. Il est le seul de mes sujets à y être parvenu. Par la suite, il partit pour les Ombres et je ne l'ai jamais revu. Qu'avez-vous à répondre, Lord Random?

— Rien.

— Je te punirai donc. Tu épouseras la femme de mon choix et tu resteras dans mon royaume avec elle pendant un an. Ou tu le paieras de ta vie. Qu'as-tu à répondre, Random? »

Random ne répondit rien, mais il fit un brusque signe de tête.

Elle posa son sceptre.

« Parfait. Qu'il en soit ainsi. »

Nous avons gagné les appartements qu'elle nous offrit pour nous y reposer. Elle apparut peu après à la porte du mien.

« Salut à vous, Moire.

— Lord Corwin d'Ambre. J'ai souvent souhaité faire ta connaissance.

— Et moi la vôtre. »

C'était un mensonge.

« Tes exploits sont passés dans la légende.

— Merci, mais je m'en souviens à peine.

— Puis-je entrer?

— Certainement. » Je m'effaçai.

Elle pénétra dans l'appartement confortable qu'elle m'avait accordé, et s'assit au bord du lit orange.

« Quand veux-tu tenter de traverser La Marelle?

— Dès que possible. »

Elle réfléchit un instant : « Où as-tu été parmi les Ombres?

— Très loin d'ici, en un lieu que j'ai appris à aimer.

— Il est étrange qu'un seigneur d'Ambre possède cette faculté.

— Quelle faculté?

— Aimer, répondit-elle.

— Peut-être n'ai-je pas employé le mot qu'il fallait.

— Cela m'étonnerait, dit-elle, car les ballades de Corwin touchent profondément le cœur.

— Votre Majesté est trop bonne.

— Mais je ne me trompe pas.

— Un jour, je vous dédierai une ballade.

— Que faisiez-vous quand vous demeuriez dans Ombre?

— J'étais soldat de métier. Je me battais pour le plus offrant. J'ai également composé la musique et les paroles de plusieurs chansons populaires.

— Ces deux activités me semblent logiques et naturelles.

— De grâce, qu'adviendra-t-il de mon frère Random?

— Il épousera une jeune fille, nommée Vialle. Elle est aveugle et n'a pas de soupirants.

— Êtes-vous certaine, en ce qui la concerne, d'agir pour le mieux?

— Elle obtiendra un bon statut, dit Moire, même s'il part au bout d'un an et ne revient jamais. Quoi qu'on puisse dire de lui, c'est un prince d'Ambre.

— Et si elle se met à l'aimer?

— Cela peut-il vraiment arriver?

— A ma manière, je l'aime comme un frère.

— C'est la première fois qu'un fils d'Ambre dit une chose pareille. Je l'attribue à votre tempérament poétique.

— En ce qui concerne la jeune fille, assurez-vous qu'il n'y a pas de meilleure solution.

— J'y ai réfléchi, dit-elle, et j'en ai la certitude. Elle oubliera les souffrances qu'il pourra lui infliger, et, après son départ, elle deviendra une grande dame de ma cour.

— Puisse-t-il en être ainsi, dis-je en détournant les yeux, envahi par un sentiment de tristesse... pour la jeune fille bien entendu.

— Vous êtes, Lord Corwin, le seul prince d'Ambre que j'accepte de soutenir avec Benedict. Mais il est parti voici des années. *Lir* sait où il repose. Quelle pitié.

— J'ignorais cela, dis-je. Ma mémoire est tellement bouleversée. Soyez indulgente de grâce. Benedict va me manquer. C'était mon maître d'armes. Il m'a appris tout ce que je sais. Il avait le cœur noble.

— Vous aussi, Corwin », dit-elle. Elle me prit la main pour m'attirer à elle.

« Pas vraiment », répondis-je. Je m'assis à côté d'elle sur le lit. Elle dit : « Nous avons du temps jusqu'au dîner », et s'appuya contre mon épaule.

Je demandai :

« Quand mangerons-nous?

— Quand je le déciderai », répondit-elle en me regardant en face.

Je l'attirai vers moi et dénouai la ceinture qui couvrait la douceur de son ventre. Douceur plus grande encore en dessous, une douceur de fourrure verte.

Sur le lit, je lui dédiai une ballade. Ses lèvres me répondirent sans un mot.

Après le repas — j'avais appris le truc qui permettait de manger sous l'eau — nous nous sommes levés de table. La grande salle de marbre était décorée de filets et de cordages rouges et bruns. Nous avons suivi un couloir étroit et sommes descendus de plus en plus bas, tout au fond de la mer, en empruntant un escalier en spirale qui rougeoyait et s'enfonçait dans une obscurité totale. Après une vingtaine de marches, mon frère en eut assez et sauta par-dessus la rampe de l'escalier pour descendre à la nage.

« C'est en effet plus rapide de cette façon, dit Moire.

— Et le chemin est long jusqu'en bas », dit Deirdre qui connaissait celui d'Ambre.

Nous avons tous sauté par-dessus la rampe et nagé dans l'obscurité le long de cette spirale incandescente.

En dix minutes nous avons atteint le fond. Nous n'avons eu aucun mal à nous tenir debout. La lumière qui nous enveloppait provenait de faibles flammes nichées dans le mur.

« Pourquoi cette partie de l'océan, qui réfléchit Ambre, est-elle si différente du reste? demandai-je.

— Parce que c'est ainsi », dit Deirdre, ce qui m'irrita.

Nous nous trouvions dans une énorme caverne d'où partaient des tunnels dans toutes les directions. Nous en avons pris un.

Après avoir marché quelque temps, nous avons découvert sur les côtés d'autres passages, certains avec des portes, d'autres avec des grilles.

Au septième de ces passages, nous nous sommes arrêtés. Il y avait une immense porte grise, d'une substance qui ressemblait à l'ardoise, bordée de métal, deux fois plus haute que moi. Moire me sourit, prit une clé qui pendait à un anneau dans sa ceinture, et l'introduisit dans la serrure.

Elle ne réussit pas à la tourner. Peut-être n'avait-elle pas servi depuis longtemps.

Random grogna, saisit la clé et tourna.

Un déclic.

Random poussa la porte du pied. Une salle apparut, qui avait la dimension d'une salle de bal : La Marelle était là.

Elle était dessinée sur le sol noir, poli comme du verre.

Elle brillait comme de la braise qu'elle était, frémissait, et donnait à la salle entière une sorte d'irréalité. C'était un entrelacs subtil et puissant, composé entièrement de courbes, avec quelques lignes droites au centre. Cela me rappela ces labyrinthes compliqués qu'on dessine avec un crayon (ou un stylo à bille selon le cas) pour aller d'un point à un autre. Elle était large d'une centaine de mètres et longue de cinquante.

Les cloches se mirent à sonner dans ma tête, et la douleur familière revint. Mon esprit refusait d'en approcher. Mais si j'étais un prince d'Ambre, cette Marelle devait être consignée dans mon sang, dans mon système nerveux, dans mes gènes. Il fallait donc que je réagisse correctement et que je la traverse.

« J'aimerais tellement avoir une cigarette », dis-je. Les femmes pouffèrent de rire, un peu trop vite peut-être, un peu trop dans l'aigu.

Random me prit le bras et dit : « Cette épreuve est dangereuse, mais pas insurmontable, sinon nous ne serions pas ici. Agis lentement et ne te laisse pas distraire. Ne t'inquiète pas des gerbes d'étincelles qui se produiront à chaque pas. Elles ne peuvent pas te faire mal. Tu sentiras un léger courant te traverser, et au bout d'un moment tu te sentiras euphorique. Mais continue de te concentrer, et surtout ne t'arrête pas de marcher! Jamais, quoi que tu fasses. Souviens-t'en. Et ne t'écarte jamais du tracé, sinon tu en mourrais. » Nous nous sommes approchés du mur de droite et nous avons contourné La Marelle pour atteindre sa partie la plus éloignée. Les femmes nous suivaient.

Je murmurai :

« J'ai tenté de la faire renoncer au projet qu'elle a pour toi. Impossible.

— Je pensais bien que tu le ferais. Ne t'inquiète pas. Je suis capable de tenir un an. Il se pourrait même qu'on me lâche plus tôt... si je suis suffisamment odieux.

— La jeune fille qu'elle te destine s'appelle Vialle. Elle est aveugle.

— Formidable! C'est une bonne blague qu'elle me fait!

— Tu te souviens de cette régence dont nous avons parlé?

— Oui.

— Alors sois gentil pour cette jeune fille, reste pendant un an et je serai généreux. »

Pas de réponse.

Il me serra le bras en pouffant :

« Une de tes amies, hein? De quoi a-t-elle l'air?

— Marché conclu?

— Marché conclu. »

Nous nous sommes placés au début de La Marelle, près d'un angle de la salle.

Je m'avançai en fixant la ligne de feu qui commençait là où j'avais posé mon pied droit. La Marelle était la seule source de lumière de la salle. Autour de moi, l'eau était glacée.

Je fis encore un pas, posai mon pied gauche sur le tracé. Il était fait d'étincelles d'un blanc bleuté. J'y posai ensuite mon pied droit, et je sentis le courant dont Random m'avait parlé. Encore un pas.

Il y eut un crépitement. Je sentis mes cheveux se dresser. Dix autres pas : une certaine résistance sembla se créer. Comme si une barrière noire s'était élevée devant moi, composée d'une substance qui me repoussait chaque fois que j'essayais de la traverser.

Soudain, la mémoire me revint : c'était le Premier Voile.

Le traverser serait un Accomplissement, un signe positif indiquant que je faisais corps avec La Marelle. Chaque fois que je levais ou que je baissais le pied, l'effort était si terrible que des étincelles jaillissaient de mes cheveux.

Je me concentrai sur la ligne de feu et j'avançai en respirant difficilement.

Brusquement la pression s'atténua. Le Voile s'était déchiré devant moi. Je venais de le traverser et j'avais gagné quelque chose.

Une partie de moi-même.

J'aperçus les morts d'Auschwitz, leur peau parcheminée sous laquelle saillaient les os, noueux comme des sarments. J'avais été présent à Nuremberg. J'entendis la voix de Stephen

Spender qui récitait *Vienne*. Je vis Mère Courage traverser la scène le soir de la première. Je vis les fusées jaillir de lieux souillés, Peenemunde, Vanderberg, Kennedy, Kyzyl Klum dans le Kazakstan, je touchai de mes mains la Grande Muraille de Chine. Nous buvions de la bière et du vin, et Shaxpur dit qu'il était ivre et il alla vomir. Je pénétrai dans la Réserve de l'Ouest et pris trois scalps en un jour. Je chantonnai pendant que nous marchions, et tout le monde reprit ma chanson en chœur : *Auprès de ma blonde* *. Je me souvenais, je me souvenais... de ma vie dans Ombre, que ses habitants appelaient la Terre. Encore trois pas... Je tenais une épée ensanglantée. Trois hommes morts, mon cheval qui m'avait permis de fuir la Révolution française. Plus encore, tellement plus, ça remontait jusqu'à...

Je fis un autre pas.

Ça remontait...

Aux morts. Il y en avait tout autour de moi. Une puanteur horrible — une odeur de chair décomposée — les hurlements d'un chien qu'on battait à mort. Des traînées de fumée noire qui emplissaient le ciel, un vent glacé qui tourbillonnait en apportant quelques gouttes de pluie. J'avais la gorge sèche, les mains tremblantes, la tête en feu. Je titubais. J'étais seul. Je voyais tout à travers un voile de fièvre qui me consumait. Les caniveaux étaient engorgés d'ordures, de chats crevés, du contenu de pots de chambre. Un ferraillement accompagné d'un tintement de cloche annonça la charrette de la mort. Elle passa comme un tonnerre, m'éclaboussant de boue et d'eau froide.

Combien de temps ai-je erré avant qu'une femme ne me saisisse le bras? Une bague à tête de mort ornait l'un de ses doigts. Elle me conduisit chez elle : elle s'aperçut que je n'avais pas d'argent et que je divaguais. La peur déforma son visage trop maquillé. Elle s'enfuit. Je m'écroulai sur son lit.

Plus tard — combien de temps après? — un homme de

* En français dans le texte.

haute taille, sans doute le protecteur de la fille, vint me gifler pour me forcer à me mettre debout. Je me cramponnai à son biceps droit. Il me traîna vers la porte.

Lorsque je compris qu'il allait me jeter dehors dans le froid, je serrai plus fort. De toutes les forces qui me restaient, en marmonnant des supplications incohérentes.

A travers la sueur et les larmes qui m'aveuglaient, je vis sa bouche s'ouvrir brusquement. Un hurlement jaillit entre ses dents jaunes.

L'os de son bras venait de se briser à l'endroit où j'avais serré.

Il me repoussa de la main gauche et tomba à genoux en pleurant. Je m'assis sur le sol. Je redevins lucide un instant. Je dis :

« Je... reste... ici jusqu'à... ce que... j'aille mieux. Va-t'en. Si tu reviens, je te tue.

— Tu as la peste! cria-t-il. Demain on viendra chercher ton cadavre! » Il cracha, se releva et disparut en titubant.

Je me traînai jusqu'à la porte pour la barricader. Puis je rampai vers le lit et m'endormis.

S'ils sont venus le lendemain chercher mon cadavre, ils en ont été pour leurs frais. Car dix heures plus tard, au milieu de la nuit, je me suis réveillé couvert d'une sueur froide : ma fièvre était tombée. J'étais faible, mais tout à fait conscient.

J'avais survécu à la peste.

Je pris dans une armoire un manteau d'homme et de l'argent dans un tiroir.

Je sortis et m'enfonçai dans Londres et la Grande Nuit, l'année de la peste, à la recherche de quelque chose...

Je n'avais aucun souvenir de mon identité ni de ce que je faisais là.

C'est ainsi que tout a commencé.

J'étais maintenant à l'intérieur de La Marelle. Les étincelles jaillissaient sous mes pieds jusqu'aux genoux. Je ne savais plus dans quelle direction j'allais ni où se trouvaient Deirdre et Moire. Le courant qui me traversait le corps faisait naître une vibration à l'intérieur de mes globes oculaires. Je sentis ensuite un picotement sur les joues, un refroidissement sur la nuque. Je serrai les dents pour les empêcher de claquer.

Mon amnésie n'avait rien à voir avec l'accident de voiture. J'avais perdu la mémoire sous le règne d'Élisabeth Première. Flora en avait déduit que ce choc récent me l'avait rendue. Elle était au courant de mon état. L'idée me vint brusquement que si elle était dans Ombre, c'était pour me surveiller.

Depuis le XVIe siècle alors?

Difficile à savoir. Mais j'y parviendrais.

Je fis rapidement six autres pas pour achever une ligne courbe et atteindre le début d'une ligne droite.

Je posai le pied dessus. Une nouvelle barrière se dressait devant moi. Le Second Voile.

Un tournant à angle droit, puis un autre, puis un troisième.

J'étais prince d'Ambre. C'était vrai. Nous étions seize frères — six étaient morts — et huit sœurs, dont deux étaient mortes, peut-être quatre. Nous avions passé la plupart de notre temps à errer dans Ombre, ou dans nos propres univers. La question, purement formelle, mais philosophiquement étayée, est de savoir si quelqu'un qui possède un pouvoir sur Ombre peut créer son propre univers. Quelle que soit la réponse finale, nous en sommes pratiquement capables.

J'atteignis une autre courbe. J'avais l'impression d'avancer dans de la glu en faisant mes premiers pas.

Un, deux, trois, quatre... Je levais mes bottes étincelantes et les laissais retomber.

Mes tempes battaient, mon cœur semblait éclater en morceaux.

Ambre!

Le souvenir d'Ambre rendit soudain la progression plus aisée. De toutes les cités qui existent ou qui existeront, Ambre est la plus grande. Ambre était au début de tout et sera à la fin de tout. Toutes les cités qui ont existé n'ont été que le reflet, l'ombre d'une partie d'Ambre. Ambre, Ambre, Ambre... Je me souviens de toi. Jamais plus je ne t'oublierai. Tout au fond de moi et tout au long des siècles où j'errai sur Ombre-Terre, je ne t'avais pas oubliée, car souvent la nuit, mes rêves étaient troublés par l'image de tes flèches vert et or et de tes vastes terrasses. Je me souviens de tes larges promenades, de tes parterres de fleurs rouge doré. Je me rappelle la douceur de ton air, les temples, les palais, les jardins que tu offrais et que tu offriras toujours. Ambre, cité immortelle, sur qui toutes les autres se sont calquées, je ne peux pas t'oublier, maintenant moins que jamais, ni oublier ce jour sur La Marelle de Rebma où je me suis souvenu de toi, au milieu du reflet de tes murs et, ma faim rassasiée, j'avais connu l'amour de Moire, mais rien n'est comparable au plaisir et à la joie de ton souvenir. Même maintenant, en contemplant le palais de Chaos et en racontant cette histoire au seul être vivant pour qu'il la répète et qu'elle ne meure pas après moi, même maintenant, je me souviens de toi avec amour, cité pour le gouvernement de laquelle j'ai été créé...

Dix pas. Un filigrane de feu me fit face. J'essayai de le traverser. Ma sueur disparaissait dans l'eau aussi vite qu'elle apparaissait.

C'était difficile, si diablement difficile. L'eau se transforma soudain en courants rapides qui menaçaient de me jeter hors de La Marelle. Je luttai pour leur résister. Je savais d'instinct que sortir de La Marelle avant d'en atteindre la fin signifiait la mort. Je n'osais pas quitter des yeux les lignes lumineuses tracées devant moi, pour mesurer la distance qui me restait à parcourir.

Les courants continuaient. De nouveaux souvenirs affluaient, toujours plus nombreux, des souvenirs de ma vie de prince d'Ambre... Non, vous ne saurez rien. Ils m'appartiennent, certains sont mauvais et cruels, d'autres nobles — souvenirs qui remontent à mon enfance dans le grand palais d'Ambre, dominé par la bannière verte de mon père Oberon, flottant au vent, licorne blanche rampante, tournée vers la aextre.

Random avait réussi l'épreuve de La Marelle. Deirdre elle-même l'avait réussie. Moi, Corwin, quelle que soit la difficulté, il fallait que je la réussisse.

Je traversai l'entrelacs de feu et suivis la Grande Courbe. Toutes les forces de l'univers se liguèrent contre moi.

J'avais un avantage sur tous ceux qui tentaient l'épreuve. Je savais que je l'avais déjà subie. Je pouvais donc la réussir de nouveau. Cette pensée me permit de surmonter les terreurs surnaturelles qui s'élevaient comme des nuages noirs et ne se dissipaient que pour se reformer avec une violence plus grande. En traversant La Marelle, je me souvenais d'autres lieux d'Ombre dont plusieurs m'étaient chers, l'un d'eux particulièrement qui, hormis Ambre, m'était plus cher que tout.

Je suivis trois autre courbes, une ligne droite, et une série d'arcs courts. Je pris encore une fois conscience de choses que je n'avais jamais vraiment perdues : par exemple, mon pouvoir sur les Ombres.

Dix tournants qui me laissèrent étourdi, un autre arc court, une ligne droite, et le Voile Final.

Le moindre mouvement était une torture. Tout s'acharnait pour me repousser. L'eau était tour à tour froide et brûlante. Je luttai en posant un pied devant l'autre. Les étincelles s'élevaient jusqu'à ma taille, à ma poitrine, à mes épaules. Elles me sautèrent dans les yeux. Elles m'encerclèrent. Je ne pouvais plus voir La Marelle.

Un arc court qui s'achevait dans les ténèbres.

Un, deux... Faire le dernier pas, c'était vouloir traverser un mur de béton.

J'y parvins.

Je me retournai lentement pour regarder le chemin par lequel j'étais venu. Impossible de m'offrir le luxe de tomber à genoux. J'étais prince d'Ambre, et par Dieu, rien ne pouvait m'abaisser en présence de mes pairs. Pas même La Marelle!

J'agitai donc le bras avec désinvolture dans la direction

que je supposais être la bonne. Qu'ils aient compris clairement ou non, c'était une autre affaire.

Je réfléchis un moment.

Je connaissais le pouvoir de La Marelle. La traverser en sens inverse devait être un jeu d'enfant.

Pourquoi s'inquiéter?

Il me manquait le jeu de cartes, mais je pouvais utiliser le pouvoir de La Marelle...

Mon frère, ma sœur, et Moire avec ses cuisses comme des piliers de marbre, m'attendaient.

Désormais, Deirdre pouvait prendre soin d'elle-même — nous lui avions sauvé la vie. Je ne me sentais pas du tout obligé de la protéger éternellement. Random se trouvait bloqué à Rebma sauf s'il avait le courage nécessaire pour bondir, traverser La Marelle, gagner le centre silencieux de la puissance, et s'échapper... Quant à Moire, j'avais été ravi de faire sa connaissance. Je la reverrais peut-être un jour avec plaisir. Je fermai les yeux en inclinant la tête.

Mais une fraction de seconde plus tôt, j'avais vu passer une ombre.

Random? En train d'essayer? Peu importe, il ne pouvait pas savoir où j'allais. Personne ne pouvait le savoir.

J'ouvris les yeux : je me trouvais au milieu de la même Marelle, mais la vraie.

J'avais froid. J'étais affreusement fatigué, mais j'étais en Ambre — dans la vraie salle, car celle que je venais de quitter n'en était que le reflet. De La Marelle, je pouvais gagner n'importe quel point d'Ambre.

Le retour, cependant, posait un problème.

Je restai donc immobile et ruisselant, à réfléchir.

Eric s'était peut-être attribué l'appartement royal. Je pourrais donc l'y trouver, ou dans la salle du trône. Mais il me faudrait alors revenir par mes propres moyens à la source du pouvoir, La Marelle. Il me faudrait la traverser de nouveau pour atteindre le point d'où je pourrais m'échapper.

Je gagnai une cachette que je connaissais. Une sorte de guérite sans fenêtre où filtrait un peu de lumière grâce à des guichets d'observation percés très haut dans la muraille. Je verrouillai l'unique panneau mobile, époussetai la banquette de bois posée le long du mur, y étendis mon manteau et m'installai pour faire la sieste. Si quelqu'un essayait d'entrer par en haut, je l'entendrais avant qu'il ne soit arrivé jusqu'à moi.

Je m'endormis.

Je m'éveillai un peu plus tard et me levai, secouai mon manteau et le remis. Puis je commençai à grimper en prenant pour points d'appuis des tenons qui montaient vers le palais.

Grâce aux repères tracés sur les murs, je savais où se trouvait le troisième étage.

D'un coup de reins je me hissai sur une petite plate-forme. J'appliquai un œil au judas. Rien. La bibliothèque était vide. Je fis glisser le panneau et j'entrai.

La quantité de livres qu'elle contenait me surprit. C'est toujours l'effet que me font les livres. J'examinai tout, y compris les vitrines, et je finis par me diriger vers un coffret de cristal qui contenait tout ce qui était nécessaire à une réunion de famille. J'aperçus quatre jeux de cartes. Je cherchai le moyen d'en prendre un sans déclencher un signal d'alarme qui aurait pu m'en empêcher.

Au bout d'une dizaine de minutes, j'y réussis grâce à un tour de passe-passe. C'était délicat. Jeu en main, je m'installai alors dans un fauteuil confortable.

Les cartes étaient exactement celles que j'avais vues chez Flora. Elles nous représentaient tous derrière une pellicule glacée. Elles étaient froides. Je savais maintenant pourquoi.

Je les battis et les étalai devant moi, au hasard. En les retournant, je vis que des événements graves allaient fondre sur toute la famille. Je ramassai les cartes.

Sauf une.

Celle qui représentait mon frère Bleys.

Je replaçai les autres dans leur boîte que je glissai sous ma ceinture. Puis je regardai Bleys.

Au même moment j'entendis une clé tourner dans la serrure de la grande porte. Que faire? Je dégainai à moitié mon épée et attendis. Je m'étais quand même caché derrière le bureau.

C'était un garçon nommé Dick, qui était venu de toute évidence faire le ménage, vider les cendriers et les corbeilles à papier, et épousseter les rayonnages.

Il valait mieux éviter l'humiliation d'être découvert.

Je me redressai : « Salut, Dick. Tu te souviens de moi? »

Il devint pâle, faillit s'enfuir, bégaya :

« Bien sûr, Seigneur. Comment pourrais-je oublier?

— Ce serait tout à fait possible après si longtemps.

— Jamais, Lord Corwin.

— Je suis évidemment ici sans autorisation officielle et je me trouve placé sous le coup de recherches illicites. Mais si Eric ne trouve pas la chose à son goût quand tu lui apprendras que tu m'as vu, dis-lui que je ne faisais qu'exercer mes droits et qu'il me verra bientôt en personne — très bientôt.

— Bien Milord, dit-il en s'inclinant.

— Assieds-toi un moment avec moi, ami Dick. Je vais t'en dire plus. »

Il obéit.

« On a pensé pendant un temps que j'étais parti pour de bon, et que j'étais perdu à jamais. Puisque je vis toujours et que je jouis de toutes mes facultés, je vais être obligé de contester la prétention d'Eric au trône d'Ambre. C'est une chose qu'on ne peut pas résoudre simplement, puisqu'il n'est pas l'aîné et qu'il n'obtiendrait sûrement pas l'appui du peuple si un autre prétendant se présentait. Pour toutes ces raisons, et d'autres — dont la plupart me sont personnelles, je suis sur le point de m'opposer à ses projets. Je ne sais pas encore de quelle façon, mais par Dieu, il mérite que je m'y oppose! Dis-le-lui. S'il veut me voir, dis-lui que je vis parmi les Ombres, mais pas les mêmes Ombres, et pas dans les mêmes conditions. Il comprendra ce que je veux dire. Il ne réussira pas facilement à m'abattre, car je saurai me protéger aussi parfaitement qu'il se protège. Je m'opposerai à lui jusqu'à la fin des temps. Cette opposition ne cessera qu'à la mort de l'un de nous. Que dis-tu de cela, fidèle serviteur? »

Il me prit la main et la baisa.

« Salut à toi, Corwin, Seigneur d'Ambre », dit-il, une larme au coin des yeux.

La porte s'ouvrit violemment.

Eric entra.

« Bonjour », dis-je en donnant à ma voix le ton le plus désagréable. « Je ne m'attendais pas à te rencontrer si tôt. Comment vont les choses en Ambre? »

Ses yeux s'élargirent de stupeur et sa voix se fit sarcastique, car il répondit :

« Bien dans certains domaines, Corwin. Moins dans d'autres.

— Dommage. Comment allons-nous remettre les choses au point?

— Je connais un moyen. » Il jeta un coup d'œil sévère à Dick qui disparut rapidement et ferma la porte derrière lui.

Eric fit jouer son épée dans son fourreau.

« Tu veux le trône.

— Nous le voulons tous.

— C'est vrai. » Il soupira. « Je me demande bien pourquoi nous nous donnons tant de mal pour occuper cette position ridicule. Je t'ai déjà vaincu à deux reprises, ne l'oublie pas. La seconde fois, je t'ai généreusement accordé la vie sur un monde d'Ombre.

— Ça n'avait rien de très généreux. Tu espérais que j'allais mourir de la peste. Quant à la première fois, on a fait match nul.

— Ça va donc se jouer entre toi et moi, Corwin. Je suis ton

aîné et ton adversaire. Si tu veux te servir de tes armes contre moi, je suis prêt. Essaie de me tuer. Le trône t'appartiendra. Je ne crois pas que tu y parviennes. Mais j'aimerais que tu abandonnes tout de suite tes prétentions. Viens. Voyons ce que tu as appris sur Ombre-Terre. »

Nous avons sorti nos épées.

J'ai fait le tour du bureau.

« Tu es d'un orgueil insensé, Eric. Pourquoi t'imaginer que tu es le meilleur de nous tous, et le plus apte à gouverner?

— Parce que j'ai été capable d'occuper le trône. Essaie de le prendre. »

J'essayai de l'atteindre à la tête. Il para le coup, risposta en voulant atteindre mon cœur. Je parai à mon tour en visant son poignet.

En parant le coup, il jeta d'un coup de pied un petit tabouret entre nous. Je l'envoyai en l'air du pied droit pour atteindre son visage. Sans succès. Il revint à la charge.

Je me suis fendu, il m'a évité, m'a attaqué, je l'ai évité à mon tour.

J'ai alors essayé une botte apprise en France : moulinet, feinte en quarte, feinte en sixte et coup de pointe en avant vers le poignet.

Je réussis à le blesser. Il a reculé.

« Maudit frère! a-t-il dit. Il paraît que Random t'accompagne.

— Exact. On s'est ligué à plusieurs contre toi. »

Il s'est fendu brusquement, m'obligeant à reculer. J'ai compris que malgré tous mes efforts, il était plus fort que moi. Sans doute le plus grand épéiste que j'avais jamais eu à combattre. J'ai su, avec évidence, que je ne parviendrais pas à le tuer. Je me défendais comme un diable en reculant pas à pas. Nous nous étions exercés pendant des siècles l'un et l'autre, avec les plus grands maîtres d'armes. Le plus grand de tous était encore en vie : mon frère Benedict. Mais il n'était pas là pour m'aider. Je ramassai des objets qui étaient sur le bureau et les lançai à la tête d'Eric. Il les évita et revint à la charge avec plus de violence encore. J'essayais de rester sur sa gauche. Je faisais tout ce qu'on m'avait enseigné, mais je ne parvenais pas à détourner la pointe de son épée de mon œil gauche. J'avais peur. L'homme était magnifique. Si je n'avais eu tant de haine pour lui, je l'aurais applaudi.

Je reculais toujours. J'étais certain d'avoir le dessous. Il était meilleur que moi. Je maudissais cet état de fait mais j'étais obligé de le constater. J'essayai trois autre bottes. Il les para toutes les trois.

Ne vous faites quand même pas des idées fausses. Je me bats très bien. Il se battait mieux, c'est tout.

On entendit alors du bruit et des cris derrière la porte. C'étaient les serviteurs d'Eric. S'ils entraient et me trouvaient encore en vie, ils se chargeraient de me tuer — probablement avec une arbalète.

Son poignet droit saignait. Il avait toujours la main ferme, mais je sentais qu'en d'autres circonstances j'aurais fini par vaincre sa résistance en me contentant de me défendre, et peut-être l'abattre par surprise au moment où il fléchirait.

Je jurai entre mes dents. Il éclata de rire.

« Tu es fou d'être venu ici. »

Il s'aperçut trop tard de ma manœuvre. (En battant en retraite, je m'étais arrangé pour avoir la porte dans le dos. C'était risqué, car je n'avais pas beaucoup de place pour reculer, mais c'était préférable à une mort certaine.)

J'ai réussi à fermer le verrou de la main gauche. La porte était lourde, immense. Pour entrer il fallait qu'ils la défoncent. Je gagnai ainsi quelques minutes. Je gagnai également une blessure à l'épaule, impossible à éviter, au moment où je tirais le verrou. C'était l'épaule gauche. Le bras qui tenait l'épée était intact.

Je souris pour faire bonne figure.

« Peut-être est-ce toi le fou d'être venu dans cette salle,

dis-je. J'ai l'impression que tes réflexes sont plus lents. » Je lançai brusquement une méchante botte.

Il la para, mais recula de deux pas.

« Cette blessure te travaille. Ton bras faiblit. Tu sens ta force qui s'en va...

— La ferme! » cria-t-il. Je compris que j'avais atteint son moral. Mes chances augmentaient donc de plusieurs points. C'est du moins ce que je voulus croire. Je me battis avec le maximum de violence, en sachant parfaitement que je ne pourrais pas tenir ce rythme très longtemps.

Mais Eric n'en était pas conscient.

J'avais semé en lui la graine du doute. Ma botte inattendue le fit reculer.

Un coup énorme ébranla la porte, mais il n'y avait pas trop de souci à se faire de ce côté-là pour le moment.

« Je vais te tuer, Eric. Je suis plus résistant qu'autrefois, et tu n'en peux plus. »

Je lus la peur dans ses yeux. Son style s'en ressentit. Sa tactique devint exclusivement défensive. Il reculait devant mes attaques. Ce n'était pas une feinte. Je sentais que je l'avais bluffé, car il avait toujours été meilleur que moi. Mais peut-être ce sentiment d'infériorité n'avait-il été pour moi que psychique? Peut-être Eric avait-il toujours exploité ce sentiment pour me faire perdre? Peut-être m'étais-je alors moi-même abusé? Peut-être étais-je aussi bon que lui? La confiance revenue, je tentai la même botte qu'au début. Je le touchai. Une nouvelle traînée rouge apparut sur son avant-bras.

« Plutôt stupide de se laisser avoir deux fois par la même feinte, Eric, tu ne crois pas? »

Il se plaça derrière un large fauteuil, m'obligeant ainsi à me battre avec cet écran entre nous.

Les coups violents contre la porte avaient cessé. On n'entendait plus crier les serviteurs. Eric dit en haletant :

« Ils sont allés chercher des haches. Ils vont revenir plus vite que tu ne crois. »

Je continuai de sourire : « Ça leur prendra quelques minutes — c'est plus qu'il n'en faut pour finir ce que j'ai à faire. Tu peux à peine défendre ta garde, et le sang continue de couler... regarde !

— La ferme !

— Quand ils entreront, il ne restera plus qu'un seul prince d'Ambre. Ce ne sera pas toi ! »

Il balaya de la main gauche une rangée de livres : ils s'éparpillèrent autour de moi.

Mais il n'en profita pas pour m'attaquer. Il traversa rapidement la pièce et saisit une petite chaise.

Il se cala dans un angle en se protégeant avec son épée et la chaise.

Des pas rapides dans le couloir. Le bruit des haches.

« Essaie de m'avoir maintenant, dit-il.

— Tu as peur. »

Il rit.

« Tu gagnes du temps, répliqua-t-il. Tu ne réussiras pas à me tuer avant que cette porte tombe. Et pour toi, il sera trop tard. »

C'était vrai. Il pouvait me tenir à distance avec sa chaise, pendant quelques minutes au moins.

Je traversai rapidement la pièce, ouvris le panneau par lequel j'étais entré.

« D'accord, dis-je, j'ai le sentiment que tu vas vivre quelque temps encore. Tu as de la chance. La prochaine fois, personne ne t'aidera. »

Il cracha en m'injuriant, posa même sa chaise pour souligner ses injures d'un geste obscène. Je quittai la pièce et refermai le panneau derrière moi.

Un sifflement sourd. Vingt centimètres d'acier étincelèrent à côté de moi pendant que je verrouillais le panneau. Eric, dans sa rage, venait d'y planter son épée. C'était risqué si j'avais décidé de rentrer. Mais il savait que je ne le ferais pas : la porte de la bibliothèque était sur le point de tomber.

Je regagnai aussi rapidement que possible la cellule où j'avais dormi un moment plus tôt. Et je réfléchissais à cette adresse nouvelle que j'avais pour me battre à l'épée. Au début du combat, j'avais été impressionné par cet homme qui m'avait vaincu autrefois. Maintenant je me posais des questions. Ces siècles sur Ombre-Terre n'avaient pas été du temps perdu. J'étais devenu aussi fort qu'Eric sur le plan des armes. Cette pensée me fit du bien. Lors de notre prochaine rencontre, qui se produirait inévitablement — et cette fois, sans interférence extérieure — qui sait ce qui se passerait? J'étais décidé à tout faire pour que cette rencontre ait lieu. Celle d'aujourd'hui lui avait fait peur. J'en étais certain. La prochaine fois il aurait le bras moins sûr et moins rapide.

Je sautai les cinq derniers mètres et pliai les genoux en touchant le sol. J'avais cinq minutes devant moi avant l'arrivée des serviteurs : c'était suffisant pour m'échapper.

J'avais les cartes dans ma ceinture.

Je tirai celle de Bleys et la fixai des yeux. Mon épaule me faisait mal, mais je l'oubliai à mesure que le froid m'envahissait.

Il y avait deux façons de quitter Ambre pour Ombre...

L'une était La Marelle, rarement utilisée dans ce but.

L'autre était les Atouts si on pouvait faire confiance à un frère.

Je regardai Bleys. Fixement. Je pouvais presque avoir confiance en lui. C'était mon frère, mais il avait des ennuis, et il pouvait avoir besoin de mon aide.

Je le regardai, avec ses cheveux couleur de flamme, ses vêtements rouge et orange, son épée dans la main droite, son verre de vin dans la gauche. Le démon dansait dans ses yeux bleus, sa barbe flamboyait, le dessin gravé sur son épée, je m'en aperçus brusquement, représentait une partie de La Marelle. Ses bagues étincelaient. Il parut bouger.

Le contact devint glacé.

Sur la carte, le personnage paraissait grandeur nature. Il

changeait de position comme dans la vie. Ses yeux ne m'avaient pas encore aperçu. Ses lèvres remuèrent.

« Qui est là? disaient-elles, et j'entendis les mots.

— Corwin. »

Il avança la main gauche. Nos doigts se rencontrèrent. Je fis un pas.

Je tenais toujours la carte dans la main gauche, mais nous nous trouvions au sommet d'une falaise, Bleys et moi, entre un précipice et une haute forteresse. Le ciel était couleur de feu.

« Salut, Bleys. » Je remis la carte avec les autres. « Merci pour ton aide. »

Je me sentais très faible : le sang coulait de ma blessure.

« Tu es blessé! » Il passa un bras autour de mes épaules. Je n'eus pas le temps de dire oui. Je perdis connaissance.

Plus tard, cette nuit-là, je me retrouvai dans la forteresse, enfoncé dans un large fauteuil et buvant un whisky. Nous fumions et nous bavardions en nous passant la bouteille.

« Tu te trouvais donc en Ambre?

— Exact.

— Et tu as blessé Eric pendant le duel?

— Oui.

— Par l'enfer, j'aurais aimé que tu le tues! » Il réfléchit un moment. « Peut-être pas, après tout. Car tu aurais pris le trône. J'ai peut-être contre Eric une chance que je n'aurais pas contre toi. Quels sont tes projets? »

Je décidai d'être absolument franc.

« Nous voulons tous le trône. Il n'y a donc aucune raison pour dissimuler notre jeu. Je n'ai pas l'intention de te tuer pour y parvenir — ce serait idiot — mais je n'ai pas non plus l'intention d'y renoncer en échange de ton hospitalité. Random accepterait, mais il est hors circuit. Personne ne sait ce qu'est devenu Benedict. Gérard et Caine semblent soutenir Eric et oublier leurs propres droits. Idem pour Julian. Restent Brand et nos sœurs. Je ne sais ce que fait Brand ces jours-ci, mais je sais que Deirdre n'a aucun pouvoir, à moins qu'elle ne prépare quelque chose à Rebma avec Llewella. Flora est la créature d'Eric. Quant à Fiona, je ne sais pas ce qu'elle mijote.

— Nous restons donc face à face, dit Bleys en se versant à boire. J'ignore ce qui se passe dans la tête des autres, mais je suis capable d'évaluer tes forces et les miennes, et je pense que je suis en position privilégiée par rapport à toi. Tu as bien fait de faire appel à moi. Soutiens-moi et je te donnerai une régence.

— On verra, cher Bleys. »

Nous buvions lentement nos whiskies.

« Que pouvais-tu faire d'autre? » demanda-t-il. Je compris que la question était importante.

« Je pourrais lever une armée et faire le siège d'Ambre.

— Dans quelle partie d'Ombre se trouve ton armée?

— Ça c'est mon affaire. Je ne pense pas que je m'opposerai à toi. J'aimerais voir l'un de nous deux sur le trône, ou Gérard, ou Benedict — s'il est encore en vie.

— Toi de préférence, bien sûr.

— Bien sûr.

— Nous nous comprenons parfaitement. Je pense donc que nous pouvons travailler ensemble, pour l'instant.

— Je le pense aussi, sinon je ne me serais pas mis entre tes mains. »

Il sourit dans sa barbe.

« Tu avais besoin de quelqu'un. J'étais le moins dangereux.

— Exact.

— J'aurais tellement souhaité que Benedict soit là et que Gérard ne se soit pas vendu! dit-il.

— Des souhaits, des souhaits! Qu'une de tes mains se contente de souhaiter, que l'autre agisse. Si tu les presses l'une contre l'autre tu verras ce qui se passera.

— Bien parlé. »

Nous avons fumé un moment en silence.

« Jusqu'à quel point puis-je me fier à toi? demanda-t-il.

— Jusqu'au point où je peux me fier à toi.

— Alors je te propose un marché. Je pensais vraiment que tu étais mort depuis des années. Je n'avais pas prévu que tu réapparaîtrais dans un moment aussi crucial et que tu ferais valoir tes droits. Tu es là. Il n'y a rien à dire. Faisons alliance — réunissons nos forces et assiégeons Ambre. Celui de nous deux qui survivra, réglera le problème. Si nous survivons tous les deux, eh bien — par l'enfer —, nous pourrons toujours nous battre en duel. »

Je réfléchis rapidement. C'était le meilleur marché possible.

Je dis : « J'ai besoin d'une nuit de réflexion. Je te répondrai demain matin. D'accord?

— D'accord. »

Nous avons fini nos verres et nous sommes retombés dans nos souvenirs. Mon épaule me faisait un peu mal, mais l'alcool atténuait la douleur, aidé par le baume que m'avait donné Bleys. Au bout d'un moment nous étions sous l'empire d'une ivresse sentimentale.

C'est étrange d'avoir de la famille et d'en être privé à cause des chemins différents que nous menions les uns et les autres. Seigneur! Bleys et moi, n'arrêtions pas de parler. Nous aurions pu refaire l'univers à force de paroles et sans se fatiguer. Il se leva enfin, me tapa sur l'épaule valide, me dit qu'il commençait à avoir sommeil et qu'un serviteur me servirait mon petit déjeuner le lendemain. Je hochai la tête. Nous nous sommes embrassés et il s'est retiré.

Je me suis approché de la fenêtre. Je pouvais plonger mon regard dans le précipice.

Les feux de camp scintillaient au fond comme des étoiles. Il y en avait des milliers. Bleys avait rassemblé des forces puissantes. J'en étais jaloux. Mais c'était une bonne chose. Si quelqu'un pouvait battre Eric, c'était sans doute Bleys. Il ferait un bon monarque pour Ambre. L'ennui c'était que je me trouvais meilleur.

Je regardai avec plus d'attention et aperçus d'étranges formes qui allaient et venaient parmi les feux. Je me demandai quelle était la nature exacte de son armée.

Quoi qu'il en soit, j'en possédais moins que lui.

Je revins vers la table et me versai un dernier verre.

Avant de boire, j'allumai une bougie et sortis le paquet de cartes que j'avais subtilisées.

Je les étalai devant moi et tombai sur celle représentant Eric. Je la plaçai au centre de la table en écartant les autres.

Au bout d'un moment, elle se mit à vivre : Eric était en vêtement de nuit. Son bras était bandé.

« Qui est là? dit-il.

— Moi, Corwin. Comment vas-tu? »

Il jura. J'éclatai de rire. C'était un jeu dangereux. Le whisky y était probablement pour quelque chose, mais je continuai : « Je voulais simplement te dire que tout va bien pour moi. Je voulais aussi te rassurer : tu ne garderas pas longtemps la tête sur les épaules. A bientôt, frère! Le jour où je reviendrai en Ambre, ce sera le jour de ta mort! C'était mon devoir de t'avertir... puisque ce jour n'est pas loin.

— Viens donc, répondit-il, je ne te ferai aucune grâce. »

Ses yeux lancèrent des éclairs. Nous étions très près l'un de l'autre.

Je lui fis un pied de nez et passai la paume de ma main sur la carte.

Le contact fut coupé, comme on raccroche le téléphone. Je remis la carte d'Eric au milieu des autres.

Avant de m'endormir, je m'interrogeai de nouveau sur les troupes de Bleys qui campaient au fond du ravin et sur les moyens de défense d'Eric.

Ça n'allait pas être facile.

6.

La région où campaient les troupes était connue sous le nom d'Avernus. Les hommes qui les formaient n'étaient pas complètement humains. Je les passai en revue le lendemain, avec Bleys. Leur taille était d'environ deux mètres trente, leur peau très rouge. Ils avaient peu de cheveux, des yeux de chat, six doigts aux mains et aux pieds. Ils portaient des vêtements légers comme de la soie, mais ce n'en était pas. C'était dans l'ensemble une matière grisâtre ou bleue. Chacun d'eux possédait deux épées courtes, recourbées au bout. Leurs oreilles étaient pointues, leurs doigts terminés par des griffes.

Le temps était chaud et les couleurs stupéfiantes. Tout le monde nous prenait pour des dieux.

Bleys avait découvert un pays où la religion impliquait des dieux frères qui nous ressemblaient et qui avaient nos problèmes. Aux termes de cette mythologie, un mauvais frère s'emparait invariablement du pouvoir et cherchait à opprimer les bons frères. Il y avait bien entendu une Apocalypse au cours de laquelle les croyants de cette religion seraient appelés à se tenir aux côtés des bons frères survivants.

J'avais le bras dans une écharpe noire. Je regardais ceux qui allaient mourir.

Je m'approchai d'un homme de troupe : « Sais-tu qui est Eric? lui demandai-je.

— Le prince du Mal », répondit-il.

J'approuvai d'un signe de tête : « Très bien », et je m'en allai. Bleys avait trouvé là de la chair à canon sur mesure.

« Ton armée représente combien d'hommes ? lui demandai-je.

— Cinquante mille environ.

— Salut à ceux qui sont sur le point de tout sacrifier. Tu ne peux pas t'emparer d'Ambre avec cinquante mille hommes, même si tu réussis à les conduire intacts au pied de Kolvir — et tu n'y réussiras pas. C'est même léger, à la limite, d'envoyer ces pauvres diables à l'assaut de la cité immortelle, avec les jouets qui leur servent d'épées et tout le reste.

— Je sais, dit-il, mais je n'ai pas qu'eux.

— Il t'en faut bien plus.

— Que penserais-tu de trois flottes — représentant la moitié des navires de Gérard et Caine réunis ? Je peux me les procurer.

— C'est à peine un début.

— Je sais. Je peux faire davantage.

— Il faut rassembler des forces beaucoup plus importantes. Eric sera enfermé en Ambre et il nous tuera pendant que nous progresserons à travers les Ombres. Quand ce qui restera de soldats atteindra le pied de Kolvir, il les décimera. Il faudra ensuite monter vers Ambre. Combien de centaines d'hommes te restera-t-il pour atteindre la ville ? Si peu qu'Eric les balaiera en cinq minutes. Si tu n'as rien de mieux, cher Bleys, je suis très pessimiste quant au dénouement de cette expédition.

— Eric a annoncé qu'il serait couronné dans trois mois, répondit-il. D'ici là je peux tripler mes forces — peut-être plus. Je peux rassembler un quart de million d'hommes venant d'Ombre. Il existe d'autres univers semblables à celui-ci. Je les prospecterai. Je lèverai une armée de croyants que j'emmènerai en croisade contre Eric, une armée comme il n'y en a jamais eu de semblable à l'assaut d'Ambre.

— Eric profitera du même temps pour renforcer ses défenses. C'est presque un suicide, Bleys. Je n'étais pas au courant de la situation véritable en arrivant ici...

— Et toi? demanda-t-il. As-tu quelque chose? Rien! On prétend que tu as commandé des troupes. Où sont-elles? »

Je détournai la tête.

« Je sais qu'elles n'existent plus.

— Ne pourrais-tu pas te trouver une Ombre parmi tes Ombres?

— Je refuse d'essayer. Pardonne-moi.

— Alors à quoi me sers-tu?

— Si c'est ça que tu as en tête, je pars. Tu n'attends qu'une seule chose de moi : augmenter le nombre de cadavres.

— Attends! cria-t-il. J'ai parlé trop vite. Je ne veux pas me priver de tes conseils. Reste, je t'en prie. J'irai même jusqu'à te faire des excuses.

— Inutile. » Je savais ce que cela représentait pour un prince d'Ambre. « Je reste. Sois sans crainte. »

Je tins parole.

Je pénétrai dans les Ombres et je découvris une race de créatures à fourrure dont l'intelligence égalait celle de lycéens moyens — navré, les enfants, mais je veux dire par là qu'ils étaient loyaux, dévoués, honnêtes et trop facilement menés en bateau par des salauds de mon espèce et de celle de mon frère. Je me sentais comme un disk-jockey. Celui que vous voudrez.

Parmi ces êtres, une bonne centaine de mille nous idolâtraient au point de prendre les armes pour notre service.

Ce qui impressionna Bleys et lui cloua le bec. Au bout d'une semaine mon épaule était guérie. Deux mois plus tard nous avions rassemblé plus d'un quart de million d'hommes...

« Corwin, Corwin! Tu es toujours le grand Corwin! » dit Bleys en nous servant à boire.

Je me sentais mal à l'aise. La plupart de ces soldats étaient condamnés à mourir. J'en étais en partie responsable. Tout en faisant la différence entre Ombre et substance, j'avais des remords. Chaque mort serait une mort réelle. Je le savais également.

Certaines nuits, je restais longtemps avec les cartes. Les

Atouts manquants avaient été remis dans le paquet que je possédais. L'un d'entre eux représentait Ambre elle-même, et je savais qu'il avait le pouvoir de me ramener dans la cité. Les autres représentaient nos parents morts ou portés disparus. Parmi eux, mon père. Je passai rapidement. Il était mort.

J'étudiai chaque visage avec attention pour savoir ce que je pouvais en obtenir. Je battis les cartes plusieurs fois. C'est toujours la même qui revenait.

Celle de Caine.

Il était vêtu de satin vert et noir, avec un tricorne foncé empanaché de plumes qui lui flottaient dans le dos. Une dague sertie d'émeraudes brillait à sa ceinture. Il était sombre.

« Caine », dis-je.

La réponse me parvint au bout d'un moment.

« Qui?

— Corwin.

— Corwin? C'est une blague?

— Non.

— Que veux-tu?

— Qu'as-tu à offrir?

— Tu le sais. » Il posa son regard sur moi.

J'observais sa main qui était tout près de la dague.

« Où es-tu?

— Avec Bleys.

— Je me suis laissé dire qu'on t'avait vu en Ambre récemment... et je me suis posé des questions sur le bras bandé d'Eric.

— Celui qui en est cause est devant toi. Quel est ton prix?

— Que veux-tu dire?

— Soyons francs. Allons droit au but? Crois-tu que nous pouvons vaincre Eric, Bleys et moi?

— Non. C'est pour ça que je suis avec lui. Je ne vends pas ma flotte, si c'est ce que tu espères. »

Je souris.

« Subtil petit frère. J'ai été ravi de te parler. A bientôt en Ambre — peut-être. »

Je levai la main. Il s'écria :

« Attends!

— Pourquoi?

— Je ne sais même pas ce que tu offres.

— Tu le sais. Tu l'as deviné et ça ne t'intéresse pas.

— Je n'ai jamais dit ça. Je sais seulement de quel côté est la justice.

— Tu veux dire le pouvoir.

— Bon d'accord, le pouvoir. Qu'as-tu à offrir? »

Nous avons parlé près d'une heure, et les mers du Nord se sont ouvertes aux trois flottes fantômes de Bleys.

« Si tu échoues, il y aura trois têtes coupées en Ambre, dit-il.

— Tu n'y crois pas vraiment, n'est-ce pas?

— Non. Je crois que l'un de vous deux — Bleys ou toi — s'assoira bientôt sur le trône. Je me mettrai avec plaisir au service du vainqueur. La régence me conviendrait. J'aimerais, en prime, la tête de Random.

— Pas question. Tu acceptes ce que je t'ai offert tel que je te l'ai offert ou on n'en parle plus.

— J'accepte. »

Je passai la paume de ma main sur la carte. Il disparut.

Je me réservais Gérard pour le lendemain. Caine m'avait épuisé.

Je me glissai dans mon lit et m'endormis.

Lorsque Gérard apprit de quoi il retournait, il accepta de nous laisser le champ libre. Uniquement parce que c'était moi qui le lui demandais. A ses yeux, Eric était moins dangereux que moi.

Je conclus le marché rapidement, lui promis tout ce qu'il demandait du moment qu'il ne s'agissait pas de vies humaines.

Je repassai ensuite les troupes en revue et leur parlai plus longuement d'Ambre. Les grands gars roux et les petits à fourrure s'entendaient à merveille, aussi curieux que cela paraisse.

Triste, mais vrai.

Nous étions leurs dieux. Il n'y avait rien d'autre à dire.

J'aperçus la flotte sur un vaste océan couleur de sang. Je m'interrogeai : dans les mondes d'Ombres où les bateaux manœuvraient, plusieurs d'entre eux allaient se perdre.

Je regardai les troupes d'Avernus et les recrues qui venaient d'un lieu appelé Ri'ik. Leur tâche était de marcher sur Ambre.

Je battis mes cartes et les étalai. Je choisis celle de Benedict. Je la scrutai un long moment. Rien ne se produisit, à part le froid.

Je repris ensuite celle de Brand. Rien d'autre que le froid pendant un temps.

Puis un hurlement. Horrible, désespéré.

« Au secours!

— Qu'y a-t-il?

— Qui est là? »

Je voyais son corps se tordre de douleur.

« Corwin.

— Délivre-moi, frère Corwin! Je t'accorde d'avance tout ce que tu demanderas!

— Où es-tu?

— Je... »

Apparurent alors des choses tourbillonnantes que mon esprit refusa de concevoir, puis un autre hurlement, comme arraché par l'agonie. Et le silence.

Le froid revint.

Je tremblais.

J'allumai une cigarette et me dirigeai vers la fenêtre pour regarder la nuit en laissant les cartes sur la table.

Les étoiles étaient minuscules, voilées par la brume. Aucune constellation reconnaissable. Une petite lune bleue courait rapidement dans le noir. La nuit avait amené avec elle un froid glacial. Je serrai mon manteau autour de moi. Je repensai à l'hiver de notre désastreuse campagne de Russie. Dieu! J'avais failli mourir de froid! Et où tout cela allait-il me mener?

Au trône d'Ambre.

Ce qui justifiait tout.

Mais Brand? Où était-il? Que lui était-il arrivé? Qui lui en voulait?

Réponses? Aucune.

En regardant le sillage de la lune bleue je me demandai s'il n'y avait pas dans ce puzzle une pièce qui me manquait, un facteur que je ne comprenais pas tout à fait.

Pas de réponse.

Je revins à la table, un verre à la main.

Je pris les cartes et tirai celle de mon père.

Oberon, seigneur d'Ambre, se tenait devant moi, dans son costume vert et or. Grand, large, épais, la barbe noire et les cheveux parsemés de fils d'argent. Des bagues vertes à monture d'or, une épée dorée. Je croyais autrefois que rien ne pouvait faire bouger de son trône l'immortel suzerain. Qu'était-il arrivé? Je l'ignorais encore. Mais il était mort. Comment mon père avait-il pu mourir?

Je le regardai en me concentrant.

Rien, rien...

Quelque chose?

Oui.

Une sorte de mouvement, mais très faible. Le personnage de la carte se tourna sur lui-même et prit l'apparence de l'homme qu'il avait été — plus exactement, l'ombre de son apparence.

« Père? » demandai-je

Rien.

« Père?

— Oui... » Très faible et lointain, comme l'écho d'un coquillage, absorbé par un bourdonnement monotone.

« Où êtes-vous? Qu'est-il arrivé?

— Je... » Longue pause.

« C'est Corwin, votre fils. Que s'est-il passé en Ambre pour que vous soyez mort?

— Mon temps, dit-il d'une voix plus lointaine encore.

— Voulez-vous dire que vous avez abdiqué? Aucun de mes frères ne m'a rien raconté. Je ne leur fais pas assez confiance pour les interroger. C'est Eric qui tient la ville. C'est Julian qui garde la forêt d'Arden. Caine et Gérard surveillent les mers. Bleys est leur adversaire. Je suis avec lui. Que souhaitez-vous?

— Tu es le seul à l'avoir demandé, haleta-t-il. Oui...

— Oui quoi?

— Oui... lutte... contre eux...

— Et vous? Comment puis-je vous aider?

— Je suis... au-delà... de toute aide. Prends le trône...

— Moi? Ou Bleys et moi?

— Toi!

— Oui?

— Tu as ma bénédiction... Prends le trône... fais vite!

— Pourquoi père?

— Je manque de souffle... Prends-le! »

Il disparut, lui aussi.

Ainsi mon père vivait. Intéressant. Que faire maintenant? Je vidai mon verre en réfléchissant.

Il vivait encore, quelque part. Il était le roi d'Ambre. Pourquoi était-il parti? Où était-il allé? Quoi, qu'est-ce, combien? Etc.

Qui le savait? Pas moi. Il n'y avait rien à ajouter pour l'instant.

Cependant...

Je ne pouvais pas abandonner ce sujet. Sachez que nous ne nous sommes jamais très bien entendus, mon père et moi. Je ne le haïssais pas comme Random ou certains de mes frères. Mais aussi sûr que deux et deux font quatre, je n'avais aucune raison de l'aimer particulièrement. Il avait été grand, puissant et terriblement présent. C'est à peu près tout. Il avait fait la plus grande partie de l'Histoire d'Ambre, telle que nous la connaissions, et l'Histoire d'Ambre s'étend sur tellement de millénaires que vous feriez aussi bien de vous abstenir de compter. Alors que faire?

Pour moi, aller au lit.

Le lendemain matin j'assistai à la réunion de l'état-major de Bleys. Il y avait quatre amiraux responsables chacun du quart de sa flotte, et toute une tablée d'officiers de l'armée de terre. En tout une trentaine de gradés, grands et roux, ou petits à fourrure.

La réunion dura quatre heures. Puis nous avons déjeuné. Il avait été décidé que nous nous mettrions en marche trois jours plus tard. Comme il fallait un prince du sang pour ouvrir la voie vers Ambre, c'est moi qui prenais le commandement de la flotte à bord du vaisseau amiral, Bleys conduirait l'infanterie à travers les terres d'Ombre.

Je lui ai demandé, un peu étonné, ce qui serait arrivé si je n'étais pas venu lui prêter main-forte. Il me répondit deux choses : premièrement, que s'il avait été obligé d'agir seul, il aurait conduit la flotte au but, l'aurait laissée loin de la côte, serait revenu à Avernus dans un petit bateau, et aurait conduit ses fantassins au rendez-vous. Deuxièmement, qu'il avait cherché à dessein une Ombre dans laquelle un frère était susceptible de lui apparaître pour lui venir en aide.

Malgré ma présence indéniable, ce deuxièmement me laissa quelques doutes. Quant au premièrement, j'avais l'impression que ça n'aurait pas marché car la flotte se serait trouvée trop au large pour recevoir des signaux de la côte, et les chances de ne pas arriver à l'heure au rendez-vous — vu l'énormité des effectifs — auraient été trop grandes.

En tant que tacticien, j'avais toujours considéré qu'il était brillant. Lorsqu'il déploya les cartes d'Ambre et des régions périphériques qu'il avait dessinées lui-même, lorsqu'il expliqua la tactique, je compris que c'était un vrai prince d'Ambre, d'une astuce incomparable.

L'ennui était que nous avions un autre prince d'Ambre en face de nous, un prince qui occupait, par définition, une position beaucoup plus forte que la nôtre. J'étais soucieux, mais l'imminence du couronnement ne nous laissait pas le choix. Je décidai donc d'embarquer sur cette galère et d'aller jusqu'au bout. Si nous perdions, nous serions hors circuit. Mais Bleys représentait la plus sérieuse des menaces, et son plan était réalisable. Pour ma part, je n'en avais pas.

Je parcourus la région nommée Avernus. J'admirai ses vallées brumeuses, ses gouffres, ses cratères fumants et ses jours étouffants, ses innombrables cailloux et son sable noir, ses bêtes minuscules mais venimeuses, ses grandes plantes violettes comme des cactus sans épines et, dans l'après-midi du second jour, alors que j'étais debout au sommet d'une falaise surplombant la mer, sous un amoncellement de nuages vermillon, je décidai que j'aimais cette région, et si ses fils devaient périr dans la guerre des dieux, je les immortaliserais un jour dans une chanson.

L'esprit un peu apaisé, je rejoignis la flotte et en pris le commandement.

Si nous étions victorieux, tous ces hommes entreraient dans le panthéon des immortels.

J'étais leur guide et leur éclaireur. J'étais heureux.

Nous avons pris la mer le lendemain. Je dirigeai la manœuvre du vaisseau amiral. Je décidai de traverser une zone de tempêtes qui nous rapprocha de notre but, de longer un effrayant maelström qui nous fit encore gagner du temps, et je conduisis les navires sur des hauts-fonds rocheux qui firent place à des gouffres marins. La couleur de l'eau ressemblait peu à peu à celle d'Ambre. Je savais donc encore naviguer. Je pouvais influencer notre destin. Je pouvais nous conduire chez nous. Plus exactement chez moi.

Nous avons longé des îles étranges où croassaient des oiseaux verts, et des singes verts pendaient aux arbres comme des fruits, poussaient des cris inarticulés et lançaient des galets dans la mer, contre nous sans doute.

Je dirigeai la flotte vers la haute mer et la fis bifurquer vers la côte.

Pendant ce temps, Bleys traversait les plaines d'Ombre. Je savais qu'il viendrait à bout des embûches qu'Eric allait dresser sur son chemin. J'étais en contact avec lui grâce aux cartes. Je connaissais donc toutes ses difficultés. Je savais par exemple qu'il avait perdu dix mille hommes au cours d'une bataille contre des centaures, cinq mille hommes dans un tremblement de terre gigantesque, mille cinq cents à cause d'un vent de peste qui balaya les camps, dix-neuf mille en traversant une jungle que je ne reconnus pas : brûlés vifs par du napalm que vomissaient d'étranges choses volantes et bourdonnantes. Je sus que six mille hommes désertèrent en découvrant un pays qui ressemblait au paradis qu'on leur avait promis, que cinq cents disparurent dans un banc de sable uniforme d'où surgit un champignon de flammes vertigineuses, que huit mille six cents furent tués pendant la traversée d'une vallée où apparurent des machines de guerre mues par des chenilles et crachant le feu, que huit cents tombèrent malades et furent abandonnés, deux cents moururent dans des inondations subites, cinquante-quatre en se battant entre eux, trois cents en mangeant des fruits vénéneux, mille cinq cents furent écrasés en fuyant devant des créatures qui ressemblaient à des buffles, soixante-treize furent incendiés dans leur tente, deux mille soufflés par un ouragan venu des collines bleues.

J'étais content de n'avoir perdu pour ma part que cent quatre navires.

Dormir, rêver peut-être... Il y a là quelque chose qui cloche. Eric nous décimait, heure par heure, chaque fois que nous avancions d'un centimètre. La date de son couronnement approchait, et il savait que nous marchions contre lui, puisqu'il pleuvait sans cesse des morts.

Or, il est écrit que seul un prince d'Ambre a le pouvoir d'évoluer parmi les Ombres qu'il commande à sa volonté. Nous conduisions nos troupes et nous les voyions mourir, mais pour l'Ombre je dis ceci : il y a l'Ombre et la substance. C'est le fondement de toutes choses. De substance il n'y a qu'Ambre, la cité réelle, édifiée sur la Terre réelle et qui contient tout. D'Ombre, il y a une infinité de choses. Toutes les possibilités sont contenues en une Ombre du réel. Ambre, par son existence même, a fait naître ses reflets dans toutes les directions. Et au-delà? L'Ombre s'étend entre Ambre et le chaos, et toute chose peut arriver à l'intérieur de ces limites. Il n'y a que trois moyens de traverser cette zone, et chacun de ces moyens est difficile.

Si l'on est prince ou princesse du sang, on peut franchir les Ombres en changeant à son gré son environnement au fur et à mesure qu'on avance, jusqu'à ce que l'on atteigne exactement la forme désirée. On s'arrête alors. Le monde d'Ombre vous appartient. Vous pouvez faire ce que bon vous semble, mis à part les intrusions familiales. J'avais vécu dans de tels lieux pendant des siècles.

Le second moyen, ce sont les cartes, créées à notre image par Dworkin, maître généalogiste, pour faciliter les communications entre les membres de la famille royale. C'était un artiste d'autrefois pour qui l'espace et la perspective étaient lettre morte. Il avait dessiné les Atouts familiaux permettant aux membres de la famille d'entrer en contact les uns avec les autres où qu'ils soient. A mon sens, ces Atouts n'avaient pas été utilisés selon l'intention de leur auteur.

Le troisième moyen était La Marelle qui permettait le transport instantané, à partir de la Substance et à travers l'Ombre. C'était le premier moyen, le plus dur.

Je savais maintenant ce qu'avait fait Random en me conduisant dans le monde réel. A mesure que nous roulions en voiture, il n'arrêtait pas d'ajouter, de mémoire, ce dont il se souvenait d'Ambre, et de soustraire ce qui ne convenait pas. Lorsque tout a coïncidé, il a su que nous étions arrivés. Ce n'était pas très difficile. N'importe quel homme, s'il en a la science, pourrait atteindre sa propre Ambre. Maintenant encore, Bleys et moi pouvions découvrir des Ombres d'Ambre et les gouverner jusqu'à la fin des temps. Car aucun de ces mondes ne serait l'Ambre véritable, la cité où nous étions nés, la cité sur laquelle toutes les autres se sont calquées.

Nous avions donc pris la voie la plus difficile, la marche à travers l'Ombre. Quiconque le savait pouvait, s'il en était capable, dresser devant nous des obstacles. C'est ce que faisait Eric, et nous lui tenions tête en mourant. Que sortirait-il de tout cela? Personne ne le savait.

Mais si Eric était couronné, la chose aurait son reflet dans les Ombres.

Chaque prince, chaque frère vivant pensait, j'en suis certain, qu'il valait mieux s'accomplir lui-même en tant que tel et laisser les Ombres retomber où elles pouvaient.

Nous avons croisé les navires de Gérard — les Vaisseaux Fantômes de ce monde — ce qui était la preuve que nous approchions.

Il nous fallut huit jours de voyage pour être en vue d'Ambre. La tempête alors éclata.

La mer devint sombre, les nuages s'amoncelèrent au-dessus de nos têtes et les voiles s'affaissèrent. Le soleil se voila la face — un énorme soleil bleu. Je sus qu'Eric nous avait enfin découverts.

La tempête se leva et fondit sur mon navire.

Les éléments déchaînés nous secouaient comme une coquille de noix, comme disent ou disaient les poètes. Je sentis mes entrailles se tordre. Nous étions comme des dés dans une main géante, jetés par-dessus bord, et la mer s'élevait jusqu'aux cieux. Le ciel tourna au noir. De la neige fondue en tomba, accompagnée d'un tonnerre de fin du monde. Tout le monde hurla. Moi, le premier. Je luttai de toutes mes forces pour atteindre le gouvernail. Je m'y attachai solidement. Eric s'était beaucoup affranchi en Ambre, c'était sûr.

Une, deux, trois, quatre heures sans rémission. Combien d'hommes avions-nous perdus? Je ne sais pas.

J'entendis une sorte de tintement et aperçus Bleys comme à travers un long tunnel gris.

« Que se passe-t-il? J'ai essayé de te contacter, dit-il.

— La vie est pleine de vicissitudes. Nous sommes en train d'en expérimenter une.

— Une tempête?

— Tout juste. La reine de toutes les tempêtes. Il me semble apercevoir un monstre par bâbord. S'il a un peu de jugeote il fera mieux d'aller au fond... c'est exactement ce qu'il vient de faire.

— Nous en subissons les effets nous-mêmes, dit Bleys.

— Monstre ou tempête?

— Tempête. Deux cents morts.

— Tiens bon et rappelle-moi plus tard. D'accord? »

Il fit oui de la tête. Des éclairs zébraient le ciel derrière lui.

« Eric voit clair dans notre jeu », ajouta-t-il avant de couper.

J'étais obligé d'en convenir.

Au bout de trois heures, les choses se calmèrent. J'appris bien plus tard que nous avions perdu la moitié de la flotte (sur les cent vingt hommes d'équipage de mon vaisseau quarante avaient disparu). Ce fut une dure tempête.

Nous avions atteint la mer de Rebma.

J'étalai mes cartes et posai Random devant moi.

Lorsqu'il apprit qui j'étais, il dit aussitôt :

« Fuis! » Je lui demandai pourquoi.

« Selon Llewella, Eric est en état de te cueillir. Elle dit qu'il faut attendre un peu, le laisser se relâcher, et le frapper à ce moment-là — d'ici un an par exemple. »

Je secouai la tête.

« Impossible. Les pertes que nous avons subies nous ont permis d'arriver jusqu'ici. C'est maintenant ou jamais. »

Il haussa les épaules, d'un air de dire « je t'aurai prévenu ».

« Pourquoi? demandai-je.

— Je viens d'apprendre qu'il est capable de contrôler le temps.

— Nous devons courir le risque quand même. »

Il haussa de nouveau les épaules.

« Ne viens pas me dire après que tu n'étais pas prévenu.

— Il sait que nous arrivons?

— Qu'est-ce que tu crois? Qu'il est idiot?

— Non.

— Il le sait bien entendu. Si je suis capable de le deviner à Rebma, il le sait à coup sûr en Ambre — et je l'ai effectivement deviné à un flottement d'Ombre.

— J'ai de mauvais pressentiments quant à cette expédition, mais c'est à Bleys que je pense.

— Laisse tomber. Il va se faire hacher menu.

— Désolé, mais je ne peux pas courir ce risque. Il est capable de vaincre. Je commande la flotte.

— Tu as contacté Caine et Gérard?

— Oui.

— Tu dois donc t'imaginer que tu as une chance sur la mer. Mais, d'après ce qu'on raconte à la cour, Eric a trouvé le moyen de s'approprier le Joyau du Jugement. Il peut l'utiliser pour contrôler le temps. C'est certain. Dieu sait ce qu'il peut faire d'autre.

— Tant pis, dis-je. Nous allons donc souffrir. Je ne peux pas me laisser démoraliser par quelques tempêtes.

— Corwin, j'avoue la vérité. Il y a trois jours, j'ai parlé à Eric.

— Pourquoi?

— C'est lui qui m'a appelé. J'ai répondu parce que je m'ennuyais. Il m'a parlé de ses défenses en détail.

— Julian lui a appris que nous avons fait le voyage ensemble. Il pense donc que tu me répéteras tout.

— C'est possible. Mais ça ne change rien à ce qu'il a dit.

— En effet, ai-je convenu.

— Laisse Bleys conduire sa guerre. Tu frapperas Eric plus tard.

— Il est sur le point de se faire couronner.

— Je sais, je sais. C'est aussi facile d'attaquer un roi qu'un prince, non? Qu'est-ce que ça change qu'il prenne un titre ou un autre du moment que tu l'attaques? Ce sera toujours Eric.

— D'accord, mais je me suis trop engagé.

— Désengage-toi.

— Je crains de ne pouvoir le faire.

— Alors tu es fou.

— Peut-être.

— Bonne chance quand même.

— Merci.

— A un de ces jours. »

Ce fut tout et j'en fus troublé.

J'allais peut-être me jeter tête baissée dans un piège?

Eric n'était pas idiot. Possédait-il vraiment un joujou de mort? J'ai fini par hausser les épaules et par me pencher pardessus le bastingage.

C'est une source de fierté et de solitude d'être prince d'Ambre, incapable de faire confiance à qui que ce soit. Ça ne me rendait pas fou de joie, mais que faire?

C'est évidemment Eric qui avait déclenché la tempête que nous venions de subir, ce qui semblait confirmer ce que venait de dire Random.

De mon côté, j'ai tenté quelque chose.

J'ai dirigé la flotte vers une Ambre affreusement enneigée. C'était le plus horrible blizzard qu'on ait jamais vu.

D'énormes flocons tombèrent sur l'océan.

Qu'il les arrête s'il le pouvait.

Il le put.

Une demi-heure plus tard, le blizzard était tombé. Ambre était virtuellement inaccessible — et c'était réellement la seule cité. Je laissai faire, refusant de changer de cap. Eric était bien le maître du temps en Ambre.

Que faire?

Poursuivre notre route vers l'étau de la mort.

Que dire?

La seconde tempête fut pire que la première, mais je tenais le gouvernail. Elle était électrisée et centrée sur la flotte qui fut dispersée. Coût : quarante vaisseaux.

J'avais peur d'appeler Bleys et d'apprendre ce qu'on lui avait fait subir.

« Il me reste deux cent mille hommes, dit-il. Inondation éclair. » Je lui appris ce que m'avait dit Random.

« C'est sûrement vrai, dit-il. Mais ne nous arrêtons pas à ça. Maître du temps ou non, nous le battrons.

— Je l'espère. »

J'allumai une cigarette et m'adossai à la proue.

Ambre n'était plus très loin. Je connaissais les chemins d'Ombre, et je savais comment y parvenir à pied.

Personne n'était rassuré.

Les beaux jours semblaient définitivement disparus.

Nous avons continué à naviguer. L'obscurité nous tomba dessus comme une vague, suivie de la pire des tempêtes.

Nous avons réussi tant bien que mal à éviter ses coups de fouet, mais j'avais peur. Tout était réel. Nous nous trouvions dans les mers du Nord. Si Caine tenait sa parole, tout irait bien. S'il voulait nous éliminer, sa position était excellente.

J'en conclus qu'il avait dû nous vendre. Pourquoi pas? Quand je le vis s'approcher, je fis mettre la flotte — soixante-treize vaisseaux restants — en ordre de combat. Les cartes avaient menti — ou plutôt avaient dit vrai — en le désignant comme personnage clé.

Le vaisseau de tête s'est avancé vers le mien. Nous nous sommes mis en panne et nous nous sommes regardés, côte à côte. Nous aurions pu communiquer par le truchement des cartes, mais Caine en avait décidé autrement : c'était lui le plus fort. L'étiquette familiale voulait par conséquent qu'il garde le choix des moyens. Il avait de toute évidence besoin de témoins car il se servit d'un porte-voix :

« Corwin ! Abandonne le commandement de ta flotte ! Nous sommes plus nombreux que vous ! Vous ne pourrez pas passer ! »

Je le regardai par-dessus les vagues et portai mon propre porte-voix à mes lèvres.

« Qu'est devenu notre accord ?

— Nul et non avenu. Tes forces sont trop faibles pour inquiéter Ambre. Il ne reste plus qu'à épargner des vies et à te rendre immédiatement. »

Je jetai un coup d'œil par-dessus mon épaule. J'aperçus le soleil.

« Caine, fais-moi la grâce de m'écouter. Accorde-moi une requête : je voudrais m'entretenir avec mes capitaines jusqu'à ce que le soleil soit haut dans le ciel.

— Accordé, répondit-il sans hésiter. Ils se rendent sûrement compte de la situation. »

Je donnai l'ordre de rejoindre le gros de la flotte.

Si j'essayais de fuir, Caine me poursuivrait dans les Ombres et détruirait tous mes navires. La poudre à canon ne pouvait pas s'enflammer sur la Terre réelle, mais si nous allions au-delà, il n'hésiterait pas l'employer pour nous décimer. D'autre part, si je me servais des cartes pour fuir, la flotte serait incapable de naviguer sans moi sur les mer d'Ombre, et offrirait ainsi des cibles faciles à détruire. Quoi que je fasse, les équipages seraient tués ou faits prisonniers.

Random avait dit vrai.

Je tirai la carte de Bleys et me concentrai jusqu'à ce qu'elle se mette à vivre.

« Oui? » dit-il d'une voix agitée. Je pouvais presque entendre les bruits de la bataille autour de lui.

« Nous avons des ennuis. Il me reste soixante-treize navires, et Caine nous a sommés de nous rendre avant midi.

— Maudit soit-il! Nous ne sommes pas aussi avancés que vous. Nous sommes en pleine bataille. Une cavalerie énorme est en train de nous tailler en pièces. Je ne peux pas t'être d'une grande utilité. Fais pour le mieux. Les voilà qui recommencent à charger! »

Le contact fut coupé.

Je tirai la carte de Gérard et me concentrai.

Pendant que nous parlions, j'avais l'impression d'apercevoir la ligne d'un rivage derrière lui. Un rivage que je reconnaissais. Il devait se trouver dans les mers du Sud. Je n'aime pas me souvenir de notre conversation. Je lui ai demandé s'il pouvait m'aider contre Caine.

« J'ai accepté une seule chose, dit-il, te laisser passer. Même si je le voulais, je n'aurais pas le temps de te rejoindre. Jamais je n'ai dit que je t'aiderai à tuer notre frère. »

Il coupa sans me laisser le temps de répondre. Il avait raison. Il avait accepté de me donner une chance, mais pas de faire la guerre pour moi.

Que me restait-il?

J'allumai une cigarette en faisant les cent pas sur le pont. La brume du matin avait disparu depuis longtemps et le soleil me chauffait les épaules. Midi approchait. Dans deux heures environ...

Je tapotai mes cartes. Je les soupesai. Grâce à elles, je pouvais tenter une épreuve de volonté contre Eric ou Caine. C'est un pouvoir que j'avais dans la main. Peut-être d'autres également que j'ignorais. Les cartes avaient été dessinées, sous les ordres d'Oberon, par Dworkin Barimen, l'artiste fou, le bossu à l'œil égaré, ancien sorcier, ou psychiatre — sur ce point les rumeurs étaient contradictoires — qui venait d'une Ombre lointaine où Père l'avait sauvé d'un destin horrible. On ignorait les détails, mais depuis, il avait battu la campagne. Cela ne l'empêchait pas d'être un grand artiste et de posséder un étrange pouvoir. Il avait créé les cartes, tracé La Marelle en Ambre, puis il avait disparu depuis des siècles. Nous nous étions souvent perdus en conjectures à son propos, mais personne ne semblait savoir où il se trouvait. Peut-être Père l'avait-il enfermé avec ses secrets.

Caine était sûrement prêt à parer une attaque psychique et je ne parviendrais probablement pas à briser ses défenses, même si je réussissais à l'immobiliser. Ses capitaines avaient sûrement reçu l'ordre d'attaquer à l'heure dite.

Quant à Eric, il devait être prêt à n'importe quoi. C'était le seul moyen qui me restait. Pourquoi ne pas l'essayer? Je n'avais rien à perdre, excepté mon âme.

J'avais également la carte représentant Ambre elle-même. Je pouvais m'y transporter et tenter d'assassiner Eric, mais j'avais une chance sur un million d'exécuter mon plan sans être tué.

J'étais prêt à mourir en combattant, mais je trouvais insensé d'entraîner tous ces hommes dans la mort avec moi. Peut-être mon sang était-il corrompu, malgré mon pouvoir sur La Marelle. Un vrai prince d'Ambre ne devait pas avoir ces scrupules de conscience. J'en conclus que les siècles passés sur Terre-Ombre m'avaient changé, amolli peut-être, que quelque chose s'était modifié en moi qui me différenciait d'avec mes frères.

Je décidai de livrer la flotte puis de me transporter en Ambre et de défier Eric en un ultime duel. Ce serait fou pour lui d'accepter. Mais je n'avais aucune autre solution.

Au moment où je me retournai pour faire connaître mes intentions à mes officiers, une volonté étrangère s'empara de moi, me rendant immobile et muet.

Je sentis le contact. Je réussis à bégayer : « Qui? » les dents serrées. Pas de réponse. J'essayai de lutter contre une chose insidieuse qui se frayait lentement passage dans mon esprit.

Lorsqu'Eric comprit que je ne me laisserais pas briser sans une longue lutte, j'entendis sa voix dans le vent :

« Comment va le monde, frère?

— Pas brillant », dis-je ou pensai-je. Il gloussa, mais sa voix semblait tendue par l'effort.

« Dommage. Si tu étais revenu pour m'apporter ton soutien, je t'aurais bien traité. Maintenant, c'est évidemment trop tard. Je ne serai heureux qu'après vous avoir vaincus, Bleys et toi. »

Sans répondre, je luttai contre lui de tout mon pouvoir. Il recula légèrement. Mais il réussit à me retenir là où j'étais.

Si l'un de nous deux laissait son attention se détourner un seul instant, le contact psychique serait possible et la domination mentale complète. Je le voyais clairement dans ses appartements. Celui qui faiblirait, quel qu'il soit, tomberait fatalement sous le contrôle de l'autre.

Nous nous regardions d'un air furieux et combattions intérieurement. En m'attaquant le premier, il avait résolu l'un de mes problèmes. Il tenait ma carte dans la main gauche. Ses sourcils étaient noués par l'effort. Je cherchai en vain un défaut dans sa cuirasse. J'étais immobile contre le bastingage. On me parlait mais je ne pouvais pas entendre ce qu'on me disait.

Quelle heure était-il?

Toute notion de temps s'était évanouie. Y avait-il déjà deux heures d'écoulées? Était-ce ce qu'on voulait me faire comprendre? Impossible de le savoir.

« Je te sens troublé, dit Eric. Oui, je suis en contact avec Caine. Il m'a appelé tout de suite après vos pourparlers. Je peux te garder ainsi immobile pendant que ta flotte sera décimée autour de toi et ira nourrir le poisson à Rebma.

— Attends, dis-je. Ils sont innocents. Nous les avons trompés, Bleys et moi. Ils pensent que nous sommes dans notre droit. Leur mort serait inutile. J'étais sur le point de livrer la flotte.

— Tu n'aurais pas dû attendre si longtemps, répondit-il. C'est trop tard maintenant, pour appeler Caine et annuler mes ordres, il faudrait que je te relâche, et si je te relâche je tomberai aussitôt sous ta domination mentale ou je subirai une attaque psychique. Nos esprits sont trop proches.

— Je m'engage sur l'honneur à ne pas le faire.

— N'importe qui se parjurerait pour gagner un royaume.

— Essaie de lire dans mes pensées. Essaie de pénétrer mon esprit. Je tiendrai ma parole!

— Cette compassion pour des hommes que tu as dupés me paraît étrange. Je ne comprends pas la cause d'un tel attachement. De toute façon, c'est impossible. Tu le sais toi-même. Même si, en ce moment, tu es sincère — autant que tu peux l'être — dès qu'une nouvelle occasion se présentera, la tentation sera trop forte pour toi. Tu le sais parfaitement. Je ne peux pas courir ce risque. »

Évidemment. Ambre brûlait trop fortement dans notre sang.

« Ta maîtrise des armes s'est remarquablement accrue, reprit-il. Ton exil t'a fait beaucoup de bien dans ce domaine. Tu es très près d'être mon égal, le seul être à en être capable, excepté Benedict qui doit être mort.

— Ne te vante pas. Je sais que je peux te vaincre maintenant. En fait...

— Ne te fatigue pas, dit-il en souriant. Je ne vais pas me battre en duel contre toi. » Il lisait facilement dans ma pensée.

« Tu ne sais pas à quel point je regrette que tu ne sois pas venu te ranger à mes côtés, dit-il. Tu m'aurais été plus utile que les autres. Julian, je lui crache dessus. Caine est un lâche. Gérard est fort mais stupide. »

Je décidai de prononcer la seule bonne parole possible.

« Écoute. J'ai embobiné Random pour qu'il m'accompagne. Il n'était pas très chaud. Si tu le lui avais demandé, il t'aurait plutôt soutenu.

— Ce salaud! dit-il. Je ne me fierais pas à lui même pour

vider les pots de chambre. Il serait capable de mettre un piranha dans le mien. Non merci. Tu aimerais que je le serre dans mes bras comme un frère, hein? Sûrement pas! Tu prends trop rapidement sa défense. Ça révèle sa véritable attitude. Oublions Random dans sa cour de clémence. »

Je sentis alors de la fumée. J'entendis le choc du métal contre le métal. Cela voulait dire que Caine nous était tombé dessus.

« Parfait, dit Eric, qui lisait dans mon esprit.

— Arrête-les! Je t'en prie! Mes hommes n'ont aucune chance contre cette multitude!

— Pas même si tu te rendais... » aboya-t-il avec un juron. Je déchiffrai alors sa pensée. Il était capable de me demander de me rendre en échange de leur vie, et de laisser Caine continuer sa boucherie. C'est une chose qu'il aurait aimé faire, mais il avait laissé échapper cette phrase dans la fièvre de sa passion.

Je gloussai, à sa grande irritation.

« Je t'aurai de toute façon, dit-il. Dès qu'ils auront pris le navire amiral.

— En attendant, attrape ça! » Je l'attaquai de toutes mes forces, fouillant dans son esprit et y insufflant toute ma haine. Je sentis sa douleur, et mon ardeur en fut décuplée. Pour toutes ces années d'exil, je le cinglai. Pour m'avoir livré à la peste, je heurtai ses barrières mentales. Pour l'accident d'auto dont il était responsable, je le savais maintenant, je le frappai avec violence, me vengeant ainsi de tout le mal qu'il m'avait fait.

Il commença à perdre son contrôle, ce qui augmenta ma frénésie. Je fondis sur lui. L'emprise qu'il avait sur moi faiblit.

« Démon! » cria-t-il enfin. Il couvrit la carte de sa paume.

Le contact fut coupé.

J'avais réussi. J'avais triomphé de lui dans une épreuve de volonté. Jamais plus je n'aurais peur de mon tyran de frère en combat singulier. J'étais plus fort que lui.

Je suis resté très droit en respirant plusieurs goulées d'air, prêt à subir une nouvelle attaque mentale. Je savais en tout cas qu'elle ne viendrait pas d'Eric. Il avait désormais peur de ma colère.

Autour de moi, on se battait. Il y avait déjà du sang sur le pont. Un navire nous avait accosté. L'équipage montait à l'abordage. Un autre vaisseau tentait la même manœuvre du côté opposé. Un projectile siffla près de ma tête.

Je tirai mon épée et bondis dans la mêlée.

Je ne sais pas combien j'en ai étripé ce jour-là. J'ai perdu le compte au douzième ou au treizième. Mais je sais qu'au cours de ce seul engagement, j'en ai au moins tué le double. La force dont tout prince d'Ambre est naturellement doué, cette force qui m'avait permis de soulever une Mercedes, me servit ce jour-là, et j'ai réussi à soulever un homme d'une seule main et à le jeter par-dessus bord.

Nous avons tué les équipages des deux vaisseaux. Nous avons ouvert leurs écoutilles, et nous les avons envoyés par le fond rejoindre Rebma. Random devait s'amuser du carnage. Une moitié de mon équipage avait péri dans la bataille et j'avais récolté d'innombrables blessures, mais rien de sérieux. Nous avons volé au secours d'un de nos vaisseaux et neutralisé le navire ennemi.

Les survivants du vaisseau que nous avons secouru sont montés à bord du navire amiral, et ont ainsi complété mon équipage. J'ai hurlé : « Du sang! Qu'on me donne du sang pour venger mes braves guerriers, et Ambre se souviendra de vous à jamais! »

Ils ont levé leurs épées en criant : « Du sang! » Des litres — non, des fleuves — de sang ont coulé ce jour-là. Nous avons détruit deux autres navires de Caine, et reformé nos rangs avec les survivants de notre propre flotte. Pendant que nous nous dirigions vers un sixième navire ennemi, j'ai grimpé en haut du grand mât et j'ai fait un compte rapide.

Ils étaient plus nombreux que nous : trois contre un. Il devait nous rester entre quarante-cinq et cinquante-cinq vaisseaux.

Nous avons pris d'assaut le sixième. Nous n'avons pas eu à chercher le septième ni le huitième. Ils sont venus à nous. Nous les avons attaqués. Pendant le combat qui décima, une fois de plus, la moitié de mon équipage, j'ai reçu plusieurs blessures. Mon épaule gauche et ma cuisse droite ont été profondément touchées. Je souffrais d'une estafilade sur la hanche droite.

A peine avions-nous envoyé ces bateaux par le fond, que deux autres ont fait mouvement vers nous.

Nous avons pris la fuite, récoltant au passage un allié : un de nos propres navires qui sortait victorieux d'une bataille. L'équipage a été de nouveau reformé. Nous avons transporté le drapeau amiral sur l'autre navire, moins endommagé. Le mien commençait à faire eau et donnait de la bande à tribord.

Nous n'avons pas eu le temps de respirer. Un autre vaisseau tentait de nous aborder.

Mes hommes étaient épuisés. Je commençais moi-même à faiblir. Heureusement l'équipage adverse n'était pas en grande forme lui non plus. Nous l'avons écrasé et abordé. De nouveau, nous avons transféré le drapeau amiral. Ce bateau était en bien meilleur état que le mien.

Nous avons écrasé le suivant. L'opération se solda par un bateau en bon état, quarante hommes et une fatigue accrue.

Plus personne pour nous venir en aide. Tous les navires rescapés se battaient contre un ou plusieurs vaisseaux de Caine. Un bateau ennemi faisait voile vers nous : nous nous sommes enfuis.

Nous avons ainsi gagné une vingtaine de minutes. J'essayai d'atteindre Ombre, mais, si près d'Ambre, c'est une chose difficile et qui demande beaucoup de temps. C'est plus facile de s'approcher que de s'éloigner, car Ambre est le centre, la connexion. Si j'avais disposé d'une dizaine de minutes supplémentaires, j'y serais peut-être arrivé.

Ce n'était pas le cas.

J'aperçus au loin un autre vaisseau qui manœuvrait pour venir dans notre direction. Sous les couleurs d'Eric, il portait la bannière noir et vert, et la licorne blanche. C'était le navire de Caine. Il voulait être présent pour la curée.

Nous avons écrasé le premier vaisseau mais nous n'avons pas eu le temps d'ouvrir ses écoutilles : Caine était sur nous. J'étais debout sur le pont couvert de sang, avec une douzaine d'hommes. Caine vint à la proue de son navire et m'ordonna de me rendre.

« Si j'accepte, accorderas-tu la vie sauve à mes hommes?

— Oui, dit-il. Si j'agissais autrement, je perdrais moi aussi quelques hommes. Ça ne servirait à rien.

— Parole de prince? »

Il réfléchit un moment, fit un signe de tête affirmatif.

« Parfait, dit-il. Commande à tes hommes de jeter leurs armes et de monter à bord de mon navire lorsque jaccosterai. »

Je rengainai mon épée. Je me suis tourné vers mes hommes.

« Vous avez combattu pour la bonne cause, et je vous aime pour cette raison. Mais nous avons perdu cette bataille. » J'essuyai mes mains sur mon manteau et les séchai soigneusement, car je ne voulais pas abîmer une œuvre d'art. « Jetez vos armes et sachez que vos exploits d'aujourd'hui ne seront jamais oubliés. Je ferai un jour votre éloge devant la cour d'Ambre. »

Les hommes qui restaient, neuf grands roux et trois êtres à fourrure, pleurèrent en déposant leurs armes.

« Soyez sans crainte. Tout n'est pas perdu dans cette lutte pour la cité. Nous avons seulement perdu une bataille. La guerre continue ailleurs. Mon frère Bleys galope sur le chemin d'Ambre. Caine tiendra parole et vous laissera la vie sauve lorsqu'il verra que je suis allé rejoindre Bleys. Je regrette de ne pas pouvoir vous emmener avec moi. »

Je tirai ensuite l'Atout de Bleys et le tint devant moi, sans qu'on puisse me voir de l'autre vaisseau.

Au moment où Caine accostait, un mouvement se produisit sous la surface froide de la carte.

« Qui? demanda Bleys.

— Corwin. Comment vont les affaires?

— Nous avons gagné la bataille, mais perdu beaucoup d'hommes. Nous nous reposons avant de reprendre la marche. Et toi?

— Nous avons détruit la moitié de la flotte de Caine, mais la journée lui a été favorable. Il est sur le point d'aborder mon navire. Il faut que je fuie. »

Il tendit une main que je touchai et je m'écroulai dans ses bras.

« Ça commence à devenir une habitude », marmonnai-je. Je m'aperçus qu'il était blessé à la tête et que sa main gauche était bandée. « J'ai été obligé de prendre à pleine main la lame d'un sabre, m'expliqua-t-il. Ça cuit. »

Il m'emmena dans sa tente, ouvrit une bouteille de vin, m'offrit du pain, du fromage et un peu de viande séchée. Il lui restait beaucoup de cigarettes : j'en fumai une pendant qu'un médecin pansait mes blessures.

Son effectif se montait à quatre-vingt mille hommes. Debout au sommet d'une colline, à la tombée de la nuit, j'eus l'impression de contempler tous les camps auxquels j'avais participé, s'étendant sans fin sur des kilomètres et sur des siècles. Les larmes me montèrent aux yeux à cause de ces hommes, si différents des seigneurs d'Ambre, qui ne vivent qu'un bref espace de temps et se transforment en poussière, dont beaucoup sont condamnés à rencontrer leur mort sur les champs de bataille du monde entier.

Je revins à la tente de Bleys pour en finir avec une bouteille de vin.

7.

Une violente tempête éclata cette nuit-là. Elle durait toujours quand l'aube lutta péniblement pour couvrir le monde de ses fils d'argent. Elle continua de faire rage toute la journée.

C'est démoralisant de marcher contre le vent et de se faire saucer par-dessus le marché. Mais plus rien n'avait d'importance.

Nous marchions sur Ambre, les vêtements collés à la peau, dans le fracas du tonnerre et l'embrasement des éclairs.

La nuit suivante, la température baissa. Le lendemain, je découvris, au-delà des drapeaux immobiles, un monde blanc sous un ciel gris, tourmenté par des rafales de neige. Mon souffle flottait derrière moi comme un panache.

Les troupes étaient mal équipées contre le froid, sauf les êtres à fourrure. Nous avons obligé tous nos hommes à presser le pas pour éviter les engelures. Les grands roux souffraient. Ils venaient d'un monde chaud.

Nous avons été attaqués par de redoutables ours polaires et par des loups. Bleys a tué un ours qui mesurait plus de deux mètres.

Nous avons marché très avant dans la nuit. Le dégel s'amorçait. Bleys pressait ses troupes pour qu'elles sortent des Ombres froides. L'Atout représentant Ambre indiquait qu'il y régnait un automne chaud et sec, et nous approchions de la Terre réelle.

Après avoir pataugé dans la neige et dans la boue, subi des pluies glacées ou tièdes, nous sommes arrivés dans un monde sec. Il était minuit.

On a donné l'ordre de dresser le camp en triplant le cordon de sécurité. Vu l'état de fatigue des hommes, nous étions mûrs pour une attaque.

Elle se produisit plusieurs heures plus tard. D'après la description faite par les survivants, je compris qu'elle était menée par Julian.

Il harcela les points les plus vulnérables du camp, à la périphérie du corps central. Si j'avais su que c'était Julian, j'aurais utilisé son Atout pour essayer de le neutraliser, mais je ne l'ai su qu'après.

Le rude hiver nous avait coûté près de deux mille hommes, sans compter ceux tués par Julian.

Les troupes semblaient démoralisées. Mais elles s'ébranlèrent quand on leur donna l'ordre d'avancer.

Le lendemain fut une embuscade sans fin. Une armée comme la nôtre ne pouvait pas se défendre contre les raids harassants de Julian. Ç'aurait été du temps perdu. Nous avons réussi à tuer quelques-uns de ses hommes, mais pas assez — un pour dix environ.

A midi nous avons traversé une vallée qui longeait la côte. La forêt d'Arden était au nord, à notre gauche, Ambre face à nous. La brise était fraîche, apportant avec elle des senteurs de terre et ses douces floraisons. Quelques feuilles tombaient. Il fallait parcourir encore cent cinquante kilomètres pour atteindre Ambre qui n'était qu'un chatoiement à l'horizon.

Dans l'après-midi, après quelques nuages et une très légère pluie, des projectiles tombèrent du ciel. Le vent cessa. Le soleil sécha toute chose.

Il nous fallut un certain temps avant de sentir la fumée.

Nous l'avons aperçue brusquement, dressée vers le ciel, qui nous entourait.

Les langues de feu commencèrent à danser et se dirigèrent

vers nous en crépitant. La chaleur devint intense. Quelque part, très loin en arrière de nos lignes, la panique éclata. Il y eut des hurlements.

Tout le monde se mit à courir.

La cendre tombait sur nous. La fumée s'épaississait. On essayait de courir plus vite, mais les flammes se rapprochaient avec violence. Les rideaux de feu faisaient un ronflement d'enfer, et les vagues de chaleur nous submergeaient l'une après l'autre. Les arbres noircissaient et perdaient leurs feuilles. Aussi loin que se portait le regard, il n'y avait plus que des flammes.

Il fallait courir plus vite, car les choses empiraient.

De grands arbres s'écroulaient sur notre passage. Nous sautions par-dessus. C'était toujours ça de gagné.

La chaleur devint intenable. L'air brûlait nos poumons. Des antilopes, des loups, des renards, des lièvres nous dépassaient comme des bolides. Au-dessus de nos têtes, par-delà la fumée, des piaillements d'oiseaux ajoutaient à la panique. Ils tombaient à nos pieds dans l'indifférence générale.

Pour moi, mettre le feu à cette antique forêt, aussi vénérable que la forêt d'Arden, était un sacrilège. Mais Eric était prince d'Ambre, bientôt roi. J'aurais sans doute agi de même...

Mes sourcils et mes cheveux roussissaient. J'avais la gorge comme une cheminée. Combien d'hommes allait nous coûter cet assaut?

Une centaine de kilomètres de vallée boisée nous séparaient d'Ambre. Il y en avait cinquante derrière nous. J'ai crié en haletant :

« Bleys! A quatre ou cinq kilomètres d'ici, il y a un embranchement! Le chemin de droite conduit à la rivière Oisen qui va se jeter dans la mer! Toute la vallée de Garnath va brûler! Notre seul espoir est d'atteindre l'eau! »

Il hocha la tête.

Nous avons pressé l'allure, mais les flammes nous devançaient.

Nous avons réussi à atteindre l'embranchement, les vêtements en feu, nous frottant les yeux pour faire tomber les cendres, crachant et toussant, éteignant tant bien que mal les flammèches de nos cheveux.

« Encore cinq cents mètres. »

Les branches enflammées m'avaient plusieurs fois touché en tombant. Toute la peau me cuisait. Nous avons descendu en courant une longue pente couverte d'herbe en feu, et nous avons aperçu l'eau. Nous avons couru plus vite, sans être sûrs d'arriver à temps. Nous avons plongé dans la rivière. La fraîcheur nous a enveloppés.

Nous nous sommes laissés flotter, Bleys et moi, au gré du courant, à travers les méandres de l'Oisen. Au-dessus de nous, les branches des arbres étaient comme des ogives d'une cathédrale de feu. Au fur et à mesure qu'elles tombaient, nous étions obligés de plonger pour chercher un abri dans les profondeurs. Autour de nous, la rivière jonchée de débris noircis n'était plus que sifflements, et les têtes des soldats rescapés flottaient derrière nous comme une théorie de noix de coco.

Les eaux étaient sombres et froides. Nous claquions des dents. Nos blessures étaient à vif.

Au bout de plusieurs kilomètres, nous avons atteint la région plate et sans arbres qui conduisait vers la mer. Je pensai que c'était un endroit idéal pour se faire cueillir par Julian et ses archers. Je le dis à Bleys qui était d'accord, mais qui voyait mal ce qu'on pouvait faire.

J'eus l'impression que des heures s'étaient écoulées avant que la première volée de flèches ne nous atteigne.

J'ai plongé et j'ai nagé sous l'eau. Longtemps. Comme j'étais dans le sens du courant, j'ai réussi à parcourir une assez belle distance avant de refaire surface.

A peine ma tête avait-elle émergé qu'une nuée de flèches siffla autour de moi.

Les dieux seuls savaient combien de temps allait durer

cette pluie de mort. Je n'avais guère envie de perdre mon temps pour l'apprendre.

Je pris une grande goulée d'air et je replongeai.

Je touchai le fond et j'avançai parmi les galets.

J'allai aussi loin que possible et bifurquai vers la rive droite en chassant l'air de mes poumons.

J'atteignis la surface comme un obus, en haletant, je pris une profonde inspiration et je plongeai de nouveau sans perdre de temps à reconnaître les lieux.

Je nageai jusqu'à faire éclater mes poumons et je refis surface.

Manque de chance; je reçus une flèche dans un biceps. Je réussis à plonger et à la briser en touchant le fond. Puis j'arrachai la tête et je continuai d'avancer en bondissant comme une grenouille, ou en nageant à la godille avec le bras droit. Je savais que si je refaisais surface, je serais une cible facile.

Je m'obligeai donc à continuer jusqu'à voir des éclairs rouges et à sentir ma tête s'alourdir. J'ai dû rester sous l'eau près de trois minutes.

Je finis par remonter. Rien ne se produisit. Je suffoquais.

Je me dirigeai vers la rive gauche et agrippai des broussailles.

Il y avait très peu d'arbres autour de moi. L'incendie ne les avait pas encore atteints. Les deux rives semblaient désertes. La rivière aussi. Étais-je le seul survivant? Difficile à admettre.

J'étais à moitié mort de fatigue. Mon corps n'était plus que douleur. Chaque pouce de ma peau semblait avoir brûlé, mais l'eau était si froide que je tremblais. Je devais être bleu de froid. Si je voulais vivre, il fallait sortir de la rivière. Mais je me sentais capable de faire encore quelques expéditions sous l'eau, et je décidai de les tenter avant d'abandonner l'abri des profondeurs.

Je réussis quatre nouvelles plongées. Je compris que si j'en essayais une cinquième, je ne pourrais pas remonter. Je m'accrochai donc à un rocher et repris mon souffle avant de regagner la rive.

Je me tournai sur le dos pour inspecter les alentours. Je ne reconnus pas l'endroit où j'étais. Le feu n'était pas encore arrivé jusque-là. J'aperçus un groupe de buissons sur la droite. Je nageai vers eux, me glissai en rampant à l'intérieur et tombai dans un sommeil profond.

A mon réveil, la douleur me submergeait. Chaque pouce de mon corps me faisait souffrir. J'avais de la fièvre. Je délirais. Puis en titubant, je réussis à gagner la rivière et à boire longuement. Je revins ensuite dans ma tanière pour me rendormir.

Quand je repris conscience, j'étais encore tout courbatu, mais j'allais mieux. Je me dégourdis un peu en faisant un aller et retour jusqu'à la rivière. Grâce à mon Atout glacé, j'appris que Bleys était encore en vie.

« Où es-tu? me demanda-t-il lorsque j'eus établi le contact.

— Comment veux-tu que je le sache? C'est déjà miraculeux de me trouver quelque part. Pas loin de la mer en tout cas. J'entends les vagues et je reconnais l'odeur.

— Tu es au bord de la rivière?

— Oui.

— Quelle rive?

— Gauche. Vers le nord.

— Ne bouge pas, je vais envoyer quelqu'un te chercher. Je suis en train de rassembler nos hommes. J'en ai déjà deux mille. Il en arrive sans arrêt par petits groupes.

— D'accord. » Ce fut tout.

Je n'ai pas bougé. Je me suis endormi.

J'ai entendu qu'on fouillait les buissons. J'ai écarté des feuilles pour jeter un coup d'œil.

C'étaient trois des nôtres, des grands roux.

J'ai épousseté mes vêtements et je suis sorti à l'air libre en vacillant. J'ai élevé la voix :

« Je suis ici. »

En m'entendant, deux d'entre eux ont saisi leur épée.

Mais ils m'ont reconnu et m'ont conduit au camp avec respect. J'ai réussi à marcher sans qu'ils me soutiennent.

Dès qu'il me vit, Bleys dit : « Nous avons déjà plus de trois mille hommes. » Puis il appela un médecin pour me soigner.

Nous avons passé une nuit très calme. Le reste de nos soldats nous avait rejoints par petits groupes.

Ils étaient cinq mille environ. Ambre se profilait au loin.

Nous avons pris une autre nuit de repos, et nous sommes repartis.

Nous avons fait une dizaine de kilomètres dans l'après-midi, en longeant la plage : aucun signe de Julian.

La douleur due à mes brûlures se calmait. Ma cuisse allait bien. Mon épaule et mon bras me faisaient encore mal.

Nous sommes arrivés à une trentaine de kilomètres d'Ambre. Le temps restait clément. Sur notre gauche, la forêt n'était plus qu'une ruine noire et désolée. Le feu avait détruit la plupart des arbres, ce qui, pour une fois, jouait en notre faveur. Ni Julian ni personne ne pouvait s'embusquer. Nous les aurions aperçus de très loin. Nous avons parcouru encore quinze kilomètres avant la tombée de la nuit, puis nous avons bivouaqué sur la plage.

Le lendemain, je me souvins que le couronnement d'Eric était proche et je le rappelai à Bleys. Nous avions perdu la notion du temps mais il nous restait encore quelques jours.

Nous avons repris la route à marche forcée jusqu'à midi et bivouaqué une nouvelle fois. Je commençais à me sentir en forme. Je m'essayai à faire quelques passes d'escrime. Le lendemain, le mieux s'accentua.

Nous avons marché jusqu'au pied de Kolvir. Les soldats de Julian, alliés aux marins de Caine, transformés en fantassins, nous y attendaient.

Avant de passer à l'attaque, Bleys a hurlé des injures comme le général Lee à Chancellorsville.

Après avoir exterminé les forces que nous opposait Julian, il nous restait environ trois mille hommes. Quant à Julian, il réussit bien entendu à s'échapper.

Mais nous avions gagné. Il y eut une fête cette nuit-là, pour célébrer notre victoire. Nous avions gagné.

Ce n'est qu'après que j'ai eu peur. J'ai été trouver Bleys : trois mille hommes seulement contre Kolvir!

J'avais perdu la flotte. Bleys avait perdu plus de quatre-vingt-dix-huit pour cent de ses fantassins. Il n'y avait pas de quoi se réjouir.

Le lendemain nous avons commencé l'ascension. La largeur de l'escalier ne permettait pas de monter à plus de deux à la fois. Cette largeur allait diminuer et nous obliger à monter en file indienne.

Nous avons monté l'escalier du Kolvir pendant cent mètres, puis deux, puis trois.

Le vent de la mer s'est levé avec force. Nous avons dû nous accrocher les uns aux autres.

Deux cents hommes ont été portés manquants.

La pluie a commencé. L'escalier est devenu plus raide, les marches plus glissantes. Au quart du chemin nous avons rencontré une colonne d'hommes armés qui descendaient. Les premiers ont échangé des coups avec notre avant-garde : deux hommes sont tombés. Nous avons gagné deux marches : un autre homme est tombé.

Ça a duré plus d'une heure : nous étions à peu près au tiers de notre ascension. Bleys et moi, nous nous trouvions au milieu de la colonne. Par chance, nos grands guerriers roux étaient plus forts que ceux d'Eric. On entendait les armes qui s'entrechoquaient, les hommes qui criaient en tombant. Quelquefois ils étaient roux ou couverts de fourrure. Mais le plus souvent ils portaient les couleurs d'Eric.

Nous avons réussi à grimper jusqu'à mi-hauteur en nous battant marche par marche. Une fois en haut, nous allions trouver le large escalier dont celui de Rebma n'était que le reflet. Il nous mènerait à la Grande Arche qui était l'entrée est d'Ambre.

De notre avant-garde il ne restait que cinquante hommes. Puis quarante, trente, vingt, une douzaine...

Nous étions aux deux tiers de l'escalade. L'escalier zigzaguait sur le Kolvir. On l'utilise rarement. C'est surtout un ornement. A l'origine, nous pensions couper à travers la vallée maintenant carbonisée, puis contourner le Kolvir pour arriver du côté ouest, et pénétrer en Ambre par-derrière. Julian et l'incendie avaient modifié nos plans. Nous n'aurions jamais réussi à aller si loin. C'était actuellement un assaut frontal ou rien.

Trois hommes d'Eric sont tombés : quatre marches de gagnées. Puis notre homme de tête a fait le grand saut : un homme de perdu.

La brise était aigre et fraîche. Les oiseaux se rassemblaient au pied de la montagne. Le soleil troua les nuages. Eric avait apparemment mis de côté sa science météorologique.

Nous avons conquis six marches et perdu un autre homme. C'était un spectacle étrange, triste et sauvage...

Bleys était devant moi : son tour allait venir bientôt. Puis le mien, s'il tombait.

Il restait six hommes d'avant-garde.

Dix marches...

Il n'en resta plus que cinq.

Nous avancions lentement. Aussi loin que portait mon regard, le sang souillait les marches. Il y avait sûrement une moralité dissimulée dans tout cela.

Le cinquième homme en a abattu quatre avant de tomber lui-même.

Le troisième homme s'est battu avec une épée dans chaque main. C'était pour lui une cause sacrée. L'ardeur et le zèle lui dictaient chaque coup. Il a tué trois ennemis avant de mourir.

Le suivant fut moins zélé et moins adroit avec ses deux épées. Il tomba immédiatement. Plus que deux.

Bleys tira sa longue épée gravée dont la lame étincela au soleil.

« Nous verrons bientôt, mon frère, ce qu'ils peuvent faire contre des princes, dit-il.

— Contre un seul, j'espère », répliquai-je. Il pouffa de rire.

Le tour de Bleys est venu aux trois quarts de la montée.

Il a fait un bond en avant, a délogé immédiatement le premier homme qui lui faisait face. Il a plongé la pointe de son épée dans la gorge du second, l'a abattue sur la tête du troisième qui a fait à son tour le grand saut. Il a éliminé le quatrième après quelques instants de duel.

J'étais prêt, l'épée à la main, et j'observais Bleys.

Il était bon, meilleur même que dans mon souvenir. Il avançait comme un tourbillon. Son épée était vivante comme un éclair. Ses adversaires tombaient comme des mouches — ah! mes amis comme ils tombaient! On peut dire ce qu'on veut de Bleys, mais ce jour-là il a été digne de lui-même et de son rang. Combien de temps allait-il tenir?

Dans sa main gauche, une dague. Il s'en servait avec une efficacité brutale chaque fois qu'il pouvait ménager un corps à corps. Il l'abandonna dans la gorge de sa onzième victime.

La colonne ennemie semblait interminable. Elle devait s'étendre jusqu'au sommet. J'espérais que mon tour ne viendrait pas. J'y croyais presque.

Trois autres hommes sont tombés dans le vide. Nous avons débouché sur un petit palier qui amorçait un tournant. Bleys a nettoyé le palier et a commencé l'ascension. Je l'ai observé pendant une demi-heure. Il a envoyé par-dessus bord de plus en plus d'ennemis. Derrière moi, les hommes murmuraient avec respect. J'ai cru presque qu'il finirait par atteindre le sommet.

Tous les coups lui étaient bons. Il jetait son manteau sur les épées de ses adversaires, les aveuglait, les faisait trébucher, saisissait leurs poignets qu'il tordait de toutes ses forces.

Nous avons atteint un second palier. Il avait du sang sur la manche, mais il souriait. Les hommes qui se trouvaient derrière ceux qui mouraient étaient pâles. Ils savaient que j'étais prêt à prendre la relève, ce qui augmentait leur terreur et ralentissait leur ardeur en sabotant leur moral. J'ai su plus tard qu'ils avaient entendu parler de la bataille navale.

Bleys gagna le palier suivant, le nettoya, et s'élança sur l'escalier. Jamais je n'aurais cru qu'il serait arrivé jusque-là. Pour moi-même je ne l'aurais pas cru. C'était le plus extraordinaire spectacle d'endurance auquel j'avais assisté depuis le combat contre les Moonriders de Ghenesh.

Bleys pourtant commençait à se fatiguer. C'était visible. Si seulement il existait un moyen pour que je le relaie un moment...

Impossible. J'étais obligé de suivre en redoutant le pire.

Nous n'étions plus qu'à une trentaine de mètres du sommet.

Je me sentis très ému. C'était mon frère. Il s'était bien conduit à mon égard. Il n'espérait sûrement pas réussir, et pourtant il continuait... en fait il me donnait une chance pour occuper le trône.

Il tua encore trois hommes. Son épée bougeait plus lentement. Il lui fallut cinq minutes avant d'éliminer le quatrième. J'étais certain que le suivant serait le dernier.

Cependant...

Pendant qu'il en finissait avec lui, j'ai fait passer mon épée dans la main gauche, j'ai tiré ma dague et je l'ai lancée.

Elle s'est plantée jusqu'à la garde dans la gorge du suivant.

Bleys a sauté deux marches et a attaqué par surprise l'homme qui lui faisait face en le jetant dans le vide.

Sans perdre de temps, il a ouvert d'un coup d'épée le ventre du suivant.

Je me suis précipité derrière lui, prêt à l'aider. Mais il n'a pas eu besoin de moi.

Il a tué les deux suivants avec une énergie nouvelle. J'ai demandé à l'un des nôtres de me donner une autre dague.

Je l'ai gardée à la main, prêt à m'en servir au moment où Bleys se fatiguerait de nouveau.

L'homme qu'il combattait était en train de se fendre quand j'ai lancé la dague. C'est la garde qui l'a touché plutôt que la lame. Elle lui a cogné la tête : Bleys en a profité pour lui donner un coup d'épaule et le faire tomber. Le suivant a fait un bond en avant, s'est empalé sur la lame de Bleys en le touchant à l'épaule. Ils sont tombés tous les deux.

D'instinct, sans savoir ce que je faisais (mais je le savais parfaitement au cours de la microseconde où j'ai pris ma décision) j'ai vivement saisi le paquet de cartes qui était dans ma ceinture et je l'ai lancé à Bleys qui sembla suspendu un instant dans le vide — tellement mes muscles et mes facultés de perception allèrent vite — et j'ai crié : « Attrape-les, idiot! »

Ce qu'il fit.

Je n'ai pas eu le temps de voir ce qui s'est passé ensuite, car j'étais occupé à parer et à ferrailler.

La dernière boucle de notre ascension du Kolvir s'amorçait.

Disons seulement que j'y suis parvenu et que j'ai repris mon souffle pendant que mes troupes me rejoignaient sur le palier.

Après avoir consolidé notre position nous sommes repartis en avant.

Il nous a fallu une heure pour atteindre la Grande Arche.

Nous avons pénétré dans Ambre.

J'étais certain qu'Eric, où qu'il soit, ne s'était pas imaginé que nous y serions arrivés.

Je pensai à Bleys. Où se trouvait-il? Avait-il pu saisir un Atout avant de s'écraser en bas. Sans doute ne le saurais-je jamais.

Nous avions sous-estimé nos adversaires. Ils nous submergeaient de partout. La seule chose à faire était de nous battre aussi longtemps que nous le pourrions. Pourquoi avais-je eu la sottise de lancer mes Atouts à Bleys? Je savais qu'il n'en avait pas. C'est ce qui avait dicté ma réaction, conditionnée peut-être par mes années passées sur Ombre-Terre. J'aurais pu les utiliser pour m'échapper si les choses tournaient mal.

Elles tournèrent mal.

Nous nous sommes battus jusqu'au crépuscule. Des nôtres, il ne restait plus qu'un petit groupe.

Nous étions encerclés dans la ville, assez loin du palais. Il ne s'agissait plus que de nous défendre et de mourir, un à un. Nous étions débordés.

Llewella ou Deirdre m'aurait donné asile. Pourquoi m'étais-je ainsi dessaisi de mes cartes?

Je tuai un autre homme et n'y pensai plus.

Le soleil se coucha. L'obscurité envahit le ciel. Nous n'étions plus que quelques centaines, trop loin du palais.

C'est alors que j'aperçus Eric en train de hurler des ordres. Si seulement je pouvais l'atteindre!

Impossible.

J'étais sur le point de me rendre pour sauver les hommes qui restaient et qui m'avaient si bien servi.

Mais il n'y avait personne à qui me rendre, personne qui demandait une reddition. Même si je criais, Eric ne m'entendrait pas. Il dirigeait les opérations, inaccessible.

Nous avons continué de nous battre : plus que cent hommes.

Soyons bref.

Ils ont tué tout le monde, sauf moi.

On m'a lancé des filets et des flèches émoussées.

J'ai fini par tomber. On m'a assommé, on m'a lié les mains et les pieds. Tout s'est estompé, sauf un cauchemar qui a persisté sans relâche.

Nous étions vaincus.

Je m'éveillai dans une oubliette creusée dans les entrailles d'Ambre.

Si j'étais en vie, c'est qu'Eric avait des projets pour moi. J'imaginai des chevalets de torture et des liens, des flammes et des pincettes. J'étais couché sur de la paille humide.

Combien de temps suis-je resté inconscient? Aucune idée.

Je cherchai dans ma cellule un moyen de me suicider. En vain.

Toutes mes blessures étaient en feu. La fatigue me terrassait.

Je me rendormis.

A mon réveil, j'étais toujours seul. Personne à acheter, personne pour me torturer.

Rien à manger non plus.

Enveloppé dans mon manteau, je me remémorai tout ce qui m'était arrivé depuis que j'avais repris conscience à Greenwood et refusé ma piqûre. Il aurait mieux valu que je l'accepte.

Le désespoir me submergea.

Eric allait bientôt être couronné roi d'Ambre. Peut-être était-ce déjà fait.

Mais le sommeil était si attirant, et moi si fatigué.

Pour la première fois je pouvais vraiment me reposer et oublier mes plaies.

La cellule était si sombre, si malodorante, si humide.

8.

Combien de fois me suis-je éveillé, rendormi? Je l'ignore. Deux fois, sur un plateau, près de la porte, j'ai trouvé du pain, de la viande et de l'eau. Deux fois, je l'ai vidé. Il faisait noir et froid dans cette cellule. J'ai attendu...

On est venu me chercher.

La porte s'est ouverte violemment. Une faible lueur m'a fait cligner des yeux. On m'a demandé de sortir.

Dans le couloir, il y avait des quantités d'hommes en armes. Pas question de tenter quoi que ce soit.

Je les ai suivis.

Après une longue marche, nous sommes arrivés à une rotonde d'où s'élevait un escalier en spirale. Nous l'avons monté. Je n'ai posé aucune question. Personne ne m'a offert la moindre information.

Arrivé en haut, on m'a conduit à travers le palais proprement dit, jusqu'à une chambre chaude et propre où on m'a ordonné de me déshabiller. Ce que j'ai fait. Je me suis ensuite plongé dans un bain fumant. Un serviteur m'a frotté, m'a rasé et m'a coupé les cheveux.

On m'a donné des vêtements frais, noir et argent.

Je les ai revêtus. On m'a couvert les épaules d'un manteau à boucle d'argent en forme de rose.

« Vous êtes prêt, m'a dit le sergent de la garde. Venez par ici. »

Je l'ai suivi, encadré par la garde.

J'ai été conduit chez le forgeron qui m'a placé des menottes aux poignets et des fers aux chevilles. Leurs chaînes étaient impossibles à rompre. Si j'avais résisté, on m'aurait battu jusqu'à ce que j'en perde conscience, et le résultat aurait été le même. Comme je n'avais aucune envie d'être battu, je me suis laissé faire.

Plusieurs hommes de la garde ont alors porté mes chaînes, et on m'a ramené au palais. Je n'ai pas eu un regard pour la magnificence qui s'offrait à moi. J'étais un prisonnier sur le point de mourir ou d'être torturé. Un coup d'œil à la fenêtre m'apprit que le soir venait à peine de tomber. Je chassai toute nostalgie en traversant les salles où nous avions joué, enfants.

On m'a conduit le long d'un couloir jusqu'à une vaste salle à manger.

Il y avait beaucoup de tables et des gens assis. J'en connaissais plusieurs.

Toutes les robes superbes, tous les costumes portés par la noblesse d'Ambre flamboyaient sous mes yeux. On entendait de la musique. Les tables étaient garnies de nourriture, mais personne ne mangeait.

J'ai reconnu Flora, ainsi que le ménestrel, Lord Rein — oui, je l'avais fait Chevalier — que je n'avais pas vu depuis des siècles. Il a détourné les yeux lorsque mon regard s'est posé sur lui.

On m'a fait asseoir au bout de l'énorme table centrale.

Les gardes sont restés derrière moi. Ils avaient accroché mes chaînes à des anneaux qui venaient d'être scellés dans le sol. Le siège qui me faisait face était vide.

Je ne reconnus pas la femme qui se trouvait à ma droite, mais, à ma gauche, il y avait Julian. Je l'ai ignoré et j'ai regardé fixement la dame, une petite blonde.

« Bonsoir, lui dis-je. Je n'ai pas eu l'honneur de vous être présenté. Je m'appelle Corwin. »

Elle lança un regard à son voisin de droite pour chercher de l'aide. C'était un type énorme avec des cheveux roux et des taches de rousseur. Il a détourné les yeux et s'est lancé dans une conversation animée avec sa voisine de droite. J'ai dit :

« Vous ne risquez rien en me parlant, soyez tranquille. Je ne suis pas contagieux. »

Elle a souri faiblement : « Je m'appelle Carmel. Comment allez-vous prince Corwin?

— Très joli nom. Je vais bien, merci. Que fait une charmante jeune fille comme vous dans un endroit pareil? »

Elle avala rapidement une gorgée d'eau.

« Corwin, dit Julian d'une voix plus forte que nécessaire. Je crois que cette dame te trouve agressif et odieux.

— T'a-t-elle fait la moindre remarque? »

Il ne rougit pas. Il blêmit.

« Alors fiche-moi la paix », dis-je.

Je m'étirai et fis exprès de remuer mes chaînes, ce qui me permit de mesurer leur longueur. Trop courtes bien entendu. Éric avait été prudent.

« Approche-toi et dis-moi à voix basse tes objections, frère », dis-je.

Il n'en fit rien.

J'avais été le dernier à m'asseoir, je savais donc que le moment était proche.

Cinq sonneries de trompettes se firent entendre : Eric parut.

Tout le monde se leva.

Sauf moi.

Les gardes me firent lever de force en tirant sur mes chaînes.

Eric sourit et descendit l'escalier. Je pouvais à peine voir ses couleurs sous son manteau d'hermine.

Il se dirigea vers le siège vide mais resta debout. Un serviteur se plaça derrière lui. Les échansons firent le tour de la table en remplissant les verres.

Lorsqu'ils furent tous pleins, Eric leva le sien.

« Puissiez-vous toujours demeurer en Ambre qui demeurera éternellement. » Tous levèrent leur verre.

Sauf moi.

« Lève ton verre, dit Julian.

— Va te faire voir. »

Il n'eut d'autre réaction qu'un regard de haine. Je pris mon verre rapidement et le levai.

Il y avait près de deux cents personnes entre Eric et moi, mais ma voix portait loin et, depuis le début, les yeux d'Eric étaient fixés sur moi. « A Eric, qui est assis au bout de la table ! »

Personne ne broncha lorsque Julian vida son verre sur le sol. Les autres en firent autant. Je réussis à boire le mien presque entièrement avant qu'on me l'arrache des mains.

Eric s'assit. Les nobles l'imitèrent. Je m'affalai sur mon siège.

Le service commença. J'avais faim. Je mangeai aussi bien que les autres. Mieux que la plupart.

Le repas dura plus de deux heures. Personne ne me dit mot, moi pas plus que les autres. Mais on savait que j'étais là : notre table était la plus calme de toutes.

Caine était assis à la droite d'Eric. J'en conclus que Julian devait être en disgrâce. Ni Random ni Deirdre n'étaient là.

Je compris que le couronnement d'Eric ne serait qu'une simple formalité.

Après le dîner, il n'y eut aucun discours. Eric se leva.

Nouvelles sonneries de trompettes.

Une procession se dirigea vers la salle du trône d'Ambre.

Je savais ce qui allait se passer.

Eric se tint devant le trône. Tout le monde s'inclina.

Sauf moi, mais on me força à tomber à genoux.

C'était le jour du couronnement.

Le silence se fit. Caine apporta le coussin sur lequel reposait la couronne d'Ambre. Il s'agenouilla, le tendit à bout de bras.

On m'a remis debout sans ménagements et on m'a traîné

vers le trône. Je compris ce qui allait arriver. Je le compris en un éclair. Je me suis débattu. Mais on m'a bourré de coups de poing et on m'a jeté au pied du trône.

La musique s'amplifia — c'était *Verte Campagne* — Julian a dit dans mon dos : « Voici le couronnement du nouveau roi d'Ambre! » Puis à moi, dans un murmure : « Prends la couronne et tends-la à Eric. Il va se couronner lui-même. »

J'ai regardé la couronne d'Ambre posée sur le coussin cramoisi que tenait Caine.

Elle était en argent ciselé à sept branches, chacune surmontée d'une pierre précieuse. Elle était parsemée d'émeraudes, avec deux gros rubis sur les côtés.

Je n'ai pas bougé, me souvenant du visage de mon père, et j'ai dit :

« Non. »

J'ai reçu un coup de poing sur la joue gauche.

« Prends-la et donne-la à Eric », répéta Julian.

J'ai essayé de le frapper, mais les chaînes étaient trop serrées. J'ai reçu un autre coup.

J'ai regardé les sept branches.

« C'est bon », ai-je dit finalement. J'ai pris la couronne. Je l'ai gardée un moment dans mes mains, et très vite, je l'ai placée sur ma propre tête en déclarant : « Je me couronne roi d'Ambre! »

On me l'a immédiatement arrachée pour la remettre sur le coussin. J'ai reçu plusieurs coups dans le dos. Un murmure s'est élevé dans l'assistance.

« Recommence, a dit Julian. Prends la couronne et tends-la à Eric. »

Un autre coup.

« D'accord. » J'ai senti du sang sur ma chemise. J'ai lancé la couronne à la tête d'Eric en espérant lui crever un œil.

Il l'a attrapée avec sa main droite et m'a souri pendant qu'on me battait.

« Merci, a-t-il dit. Oyez maintenant. Vous tous qui êtes

présents, et ceux d'entre vous qui écoutez dans Ombre. J'assume aujourd'hui la couronne et le trône. Je prends dans ma main le sceptre du royaume d'Ambre. J'ai obtenu le trône équitablement. Je le prends et m'y assieds par droit de sang. »

J'ai hurlé : « Menteur! » Une main m'a fermé la bouche.

« Moi, Eric Premier, je me couronne roi d'Ambre.

— Vive le roi! » ont crié les nobles. Trois fois.

Il s'est penché vers moi et a murmuré : « Tes yeux viennent de contempler le plus beau des spectacles qu'ils verront jamais... Gardes! Emmenez Corwin à la forge, et qu'on lui brûle les yeux! Qu'il se souvienne du spectacle de ce jour comme du dernier qu'il aura contemplé! Jetez-le ensuite dans l'oubliette la plus obscure qui soit, au fond des entrailles d'Ambre, et que son nom soit oublié! »

J'ai craché de mépris. Ce qui m'a valu une nouvelle volée.

Je me suis débattu comme un diable pendant qu'on me traînait hors de la salle. Personne ne m'a jeté un regard. La dernière chose dont je me souvienne, c'est Eric, assis sur son trône, souriant et donnant sa bénédiction à la noblesse.

Son ordre a été exécuté. La miséricorde a voulu que je m'évanouisse avant la fin.

Je n'ai aucune idée du temps qu'il m'a fallu pour reprendre conscience dans une obscurité absolue et sentir sur mon visage une douleur fulgurante. C'est peut-être à cet instant-là que j'ai prononcé la malédiction, peut-être quand les fers rougis à blanc se sont approchés de moi. Je ne m'en souviens pas. Mais je savais qu'Eric n'aurait droit à aucun repos désormais, car la malédiction d'un prince d'Ambre, proférée en pleine fureur, finit toujours par agir.

J'ai enfoncé mes ongles dans la paille. J'étais au fond d'une cellule parfaitement obscure, et je n'avais plus de larmes. L'horreur venait de là. Au bout d'un certain temps — les dieux seuls en connaissaient l'exacte durée — le sommeil est revenu.

Lorsque je me suis réveillé, la douleur était toujours là. Je me suis levé pour mesurer ma cellule. Quatre pas en largeur, cinq en longueur. Il y avait une fosse d'aisances creusée à même le sol, et un matelas de paille dans un coin. Une petite ouverture avait été ménagée dans le bas de la porte. Derrière cette ouverture, il y avait un plateau avec un morceau de pain rassis et un pot d'eau. J'ai mangé et j'ai bu sans me restaurer.

Ma tête me faisait affreusement mal. Je n'étais que fièvre.

J'ai dormi aussi longtemps que possible sans recevoir aucune visite. Je me suis réveillé, j'ai traversé ma cellule, j'ai tâtonné pour trouver la nourriture et je l'ai mangée. J'ai dormi chaque fois que c'était possible.

Au bout de sept sommeils, la douleur a quitté mes orbites. J'ai haï mon frère qui était le roi d'Ambre. Il aurait mieux fait de me tuer.

Je me suis demandé quelle avait pu être la réaction populaire. Impossible à savoir.

Quand les ténèbres envahiraient Ambre, Eric aurait pourtant des remords. Je le savais. Ça me faisait du bien de le savoir.

Ainsi ont commencé mes jours de ténèbres. Aucun moyen de mesurer leur passage. Même si j'avais eu des yeux, je n'aurais pas pu distinguer le jour de la nuit.

Le temps passait et m'ignorait. Par moments, une question surgissait qui me mettait en sueur. Je frissonnais de fièvre. Étais-je là depuis trois mois? Quelques heures? Des semaines? Des années?

J'ai oublié tout du temps. J'ai dormi, j'ai arpenté ma cellule (je savais exactement où placer les pieds et à quel moment tourner), j'ai médité sur ce que j'avais fait et n'avais pas fait. Parfois je m'asseyais en tailleur, je respirais lentement et profondément pour vider mon esprit le plus longtemps possible. Cela m'a aidé à ne penser à rien.

Eric avait été adroit. Le pouvoir de la connaissance était toujours en moi, mais inutile. Un aveugle ne peut pas évoluer dans les Ombres.

Ma barbe m'arrivait à la poitrine, mes cheveux étaient très longs. Au début, j'avais toujours faim. Peu à peu mon appétit s'était émoussé. J'avais des vertiges quand je me levais très rapidement.

Je retrouvais la vue dans mes cauchemars, mais ce n'en était que plus pénible au réveil.

Peu à peu cependant, j'ai pris du recul par rapport aux événements qui m'avaient conduit à cette déchéance. J'avais l'impression qu'ils concernaient quelqu'un d'autre. Et d'une certaine façon, c'était vrai.

J'avais beaucoup maigri. J'arrivais à me voir en esprit, blême et efflanqué. Je n'avais même pas la possibilité de pleurer. J'en avais eu envie deux fois. Quelque chose ne fonctionnait plus dans mes glandes lacrymales. Comment un être humain, quel qu'il soit, peut-il en arriver là?

Un jour on a gratté à ma porte. Légèrement. Je n'ai pas bronché.

On a recommencé. Toujours pas bronché.

J'ai ensuite entendu murmurer mon nom.

J'ai traversé la cellule.

« Oui? »

« C'est moi, Rein. Comment allez-vous? »

Ça m'a fait rire.

« Très bien! On ne peut mieux! Beefsteak et champagne tous les soirs, avec danseuses nues. Seigneur! Tu devrais me tenir compagnie un de ces jours!

— Je suis désolé de ne rien pouvoir faire pour vous. » Sa voix était triste.

« Je sais.

— Si c'était possible, je vous aiderais.

— Je le sais aussi.

— Je vous ai apporté quelque chose. »

Il y a eu un petit craquement au bas de la porte de la cellule.

« Qu'est-ce que c'est?

— Des vêtements propres, trois miches de pain frais, du fromage, de la viande de bœuf, deux bouteilles de vin, une cartouche de cigarettes et beaucoup d'allumettes. »

Ma voix s'est brisée.

« Merci Rein. Tu es un type très bien. Comment as-tu fait?

— Je connais le gardien qui surveille ce côté. Il ne dira rien. Il me doit beaucoup.

— S'il te dénonce il ne te devra plus rien. Ne recommence pas — Dieu sait pourtant si c'est agréable pour moi. Ne t'en fais pas, je ne laisserai rien traîner.

— J'aurais préféré que les choses tournent autrement, Corwin.

— Moi aussi. Merci d'avoir pensé à moi malgré les ordres.

— C'était facile.

— Depuis combien de temps suis-je ici?

— Quatre mois et dix jours.

— Quoi de neuf en Ambre?

— Eric règne. C'est tout.

— Où est Julian?

— Dans sa forêt d'Arden avec sa garde.

— Pourquoi?

— Des choses étranges sont sorties d'Ombre récemment.

— Je vois. Et Caine?

— Il est encore en Ambre. Il s'amuse à courir les filles et à boire.

— Et Gérard?

— Amiral en chef de la flotte. »

J'ai poussé un soupir de soulagement. J'avais eu peur que sa neutralité ne lui ait valu quelques représailles.

« Et Random?

— En prison.

— Il a été pris?

— Il a traversé La Marelle à Rebma et est entré ici armé d'une arbalète. Il a blessé Eric avant de se faire prendre.

— Pourquoi ne l'a-t-on pas tué?

— On a appris qu'il avait épousé une noble dame de Rebma. Eric n'a pas voulu créer d'incident. Moire possède un grand royaume. On prétend qu'Eric songe à la choisir pour reine. Des commérages, rien de plus. Mais intéressants.

— Oui.

— Vous lui avez plu, n'est-ce pas?

— Peut-être. Comment le sais-tu?

— J'étais là quand on a condamné Random. J'ai pu lui parler un moment. La dame Vialle, qui prétend être sa femme, a demandé à le rejoindre en prison. Eric ne sait pas encore ce qu'il faut répondre. »

J'ai pensé à la jeune fille aveugle que je n'avais jamais rencontrée. Son désir de rejoindre Random m'a troublé.

« Ça date de quand?

— Mmm... Trente-quatre jours que Random est arrivé. Une semaine plus tard Vialle faisait sa demande.

— Ce doit être une femme étrange pour aimer Random.

— Je pense comme vous. Je n'arrive pas à imaginer couple plus mal assorti.

— Si tu le revois, dis-lui bien des choses de ma part et exprime-lui tous mes regrets.

— Oui.

— Comment se portent mes sœurs?

— Deirdre et Llewella sont à Rebma. Lady Florimel a profité de la faveur d'Eric pour occuper un rang élevé à la cour. Je ne sais pas où se trouve Fiona.

— A-t-on eu des nouvelles de Bleys? Je suis sûr qu'il est mort.

— Il a dû mourir. Mais on n'a jamais retrouvé son corps.

— Et Benedict?

— Absent, comme d'habitude.

— Brand?

— Aucune nouvelle.

— Je crois qu'on a passé toute la famille en revue. Tu as écrit de nouvelles ballades?

— Je suis en train de travailler au *Siège d'Ambre*, mais si c'est un tube, il sera clandestin. »

J'ai tendu la main à travers l'ouverture de la porte.

« Tu es un brave cœur de m'avoir apporté tout ceci. Mais ne recommence pas. Ce serait de la folie de provoquer la colère d'Eric. »

Il m'a serré la main en murmurant quelque chose et s'est éloigné.

J'ai ouvert le colis contenant les aliments et je me suis empiffré de viande (c'était la denrée la plus périssable). J'ai mangé beaucoup de pain également. J'avais presque oublié à quel point la nourriture avait bon goût. Le sommeil m'a pris et j'ai dormi. Pas longtemps. A mon réveil j'ai ouvert une des bouteilles de vin.

Je n'ai pas eu besoin d'en boire beaucoup, vu mon état de faiblesse, pour atteindre un état de « légèreté ». J'ai allumé une cigarette, je me suis assis sur mon matelas, et j'ai commencé à rêvasser.

Je me suis souvenu de Rein, enfant. J'étais moi-même un homme fait. Il aspirait à devenir le ménestrel de la cour. C'était un garçon mince, intelligent. On se moquait de lui, moi comme les autres. Mais je composais de la musique, écrivais des ballades. Il avait déniché un luth et avait appris à en jouer tout seul. Très vite nous nous sommes mis à chanter à deux voix. Je me suis pris d'affection pour lui. Je lui ai appris le maniement des armes. Il n'était pas doué mais j'éprouvais du remords de m'être moqué de lui, et son application pendant les leçons d'escrime me faisait redoubler de gentillesse. Je finis par en faire un homme d'épée passable. Je ne l'ai jamais regretté. Lui non plus, je crois. Il est devenu ménestrel à la cour d'Ambre. Il avait été mon page jusque-là, et lorsque la guerre a éclaté contre les choses noires issues d'Ombre qu'on appelait Weirmonken, je l'ai choisi comme écuyer et je l'ai emmené sur le champ de bataille. Je l'ai nommé chevalier à Jones Falls, parce qu'il le méritait. Il a fait tellement de progrès en musique qu'il m'a surpassé. Ses harmonies étaient subtiles et ses paroles comme de l'or. C'était l'un des meilleurs amis que j'avais en Ambre. Je ne pensais pas cependant qu'il prendrait le risque de m'apporter à manger. Je ne pensais pas que quelqu'un le ferait. J'ai bu une seconde gorgée de vin et j'ai fumé une autre cigarette en son honneur. C'était un être bon. Combien de temps y survivrait-il?

J'ai jeté tous les mégots dans la fosse d'aisances, et la bouteille vide un peu plus tard. Je ne voulais pas qu'on s'aperçoive, en cas d'inspection, que mon régime s'était amélioré. J'ai mangé tout ce qu'il m'avait apporté. Pour la première fois depuis mon emprisonnement je me suis rassasié. J'ai mis de côté la dernière bouteille pour oublier mon malheur dans l'ivresse.

Et je suis retombé dans mon cycle infernal.

J'espérais par-dessus tout qu'Eric ne connaisse pas l'étendue exacte de son pouvoir. Il était roi d'Ambre, d'accord, mais il ne savait pas tout. Pas encore. Pas comme mon père. Cette éventualité me laissait une chance sur un million de m'en sortir. Au milieu de mon désespoir, elle me permettait de m'accrocher à un semblant de raison.

Peut-être suis-je devenu fou pendant quelque temps? Je ne sais pas. Certaines périodes de mon emprisonnement ne m'ont laissé aucun souvenir. Dieu seul sait ce qu'elles renferment. Pas question d'aller consulter un psychiatre pour le savoir. Aucun de vous, bons médecins, ne peut venir à bout de ma famille. De toute façon.

Je dormais, j'arpentais mon domaine dans les ténèbres. Mon ouïe s'est développée. J'entendais trotter les rats sur la paille, les gémissements étouffés des autres prisonniers, l'écho des pas du gardien qui m'apportait un plateau. Grâce à ces petits détails, je commençais à évaluer les distances et à développer mon sens de l'orientation.

J'étais également devenu sensible aux odeurs, mais j'essayais de ne pas trop y penser. En dehors des odeurs nauséabondes qu'on imagine, j'ai senti pendant quelque temps ce que j'aurais juré être une odeur de chair en décomposition. Je me posais des questions. Si je mourais, combien de temps faudrait-il pour qu'on s'en aperçoive? Combien de morceaux de pain et de pots d'eau resteraient intacts avant que le gardien ne pense à vérifier si j'existais toujours?

La réponse à ces questions avait une extrême importance.

L'odeur de mort a persisté longtemps. J'ai essayé d'évaluer ce temps. Il m'a semblé qu'elle avait duré plus d'une semaine.

Malgré le rationnement sévère auquel je me soumettais, je me suis finalement retrouvé avec un seul paquet de cigarettes. Le dernier.

Je l'ai ouvert. J'ai allumé une cigarette. Rein m'avait apporté une cartouche de Salem. J'avais fumé onze paquets. Cela faisait deux cent vingt cigarettes. Il me fallait environ sept minutes pour en griller une. Cela donnait un total de mille cinq cent quarante minutes passées à fumer, ou vingt-quatre heures et quarante minutes. Je laissais passer au moins une heure entre deux cigarettes. Disons une heure et demie. Cela faisait seize à dix-huit heures de veille. Je crois que je fumais entre dix et douze cigarettes par jour. La visite de Rein datait donc de trois semaines. Il m'avait appris que le couronnement avait eu lieu depuis quatre mois et dix jours. J'étais en prison depuis cinq mois.

J'ai économisé mon dernier paquet, en savourant chaque cigarette comme une aventure sentimentale. Après avoir fumé la dernière, je me suis senti déprimé.

Du temps a passé, beaucoup de temps.

J'ai pensé à Eric. Comment s'en sortait-il en tant que roi? Quels étaient les problèmes auxquels il se heurtait? Pouvait-on vraiment m'oublier en Ambre? Même par décret royal? Jamais.

Que devenaient mes frères? Pourquoi aucun d'eux n'était-il entré en contact avec moi? C'était pourtant facile de tirer ma carte Atout et de casser le décret d'Eric.

Personne ne l'a fait.

J'ai longtemps pensé à Moire, la dernière femme que j'avais aimée. Que faisait-elle? Pensait-elle à moi quelquefois? Probablement pas. Elle était sans doute la maîtresse d'Eric maintenant, ou sa reine. Lui avait-elle parlé de moi? Probablement pas.

Et mes sœurs? Pas la peine de se fatiguer. Toutes des garces.

J'avais déjà été aveugle dans le passé, à la suite d'un retour de flamme de canon. Au XVIIIe siècle, sur Ombre-Terre. Ça n'avait duré qu'un mois. J'avais ensuite recouvré la vue. En donnant cet ordre, Eric avait voulu une cécité irréversible. Quelquefois je me réveillais en hurlant. Dans mon cauchemar, j'avais vu les fers rougis à blanc — accrochés devant mes yeux — et puis le contact!

Je gémissais doucement et me mettais à marcher de long en large.

Impossible de tenter quoi que ce soit. C'était le plus affreux. J'étais aussi impuissant qu'un bébé. J'aurais donné mon âme pour recouvrer la vue et ma fureur. Pour une heure seulement. Pour pouvoir me battre avec mon frère.

Je me suis recouché sur ma paillasse et j'ai dormi. A mon réveil, j'ai trouvé de la nourriture. Je l'ai mangée, une fois encore. Puis j'ai marché de long en large. Mes ongles avaient beaucoup poussé, aux mains et aux pieds. Ma barbe était longue et mes cheveux me tombaient sur les yeux. J'étais sale. Tout le corps me démangeait. Je devais avoir des puces.

Une intense émotion s'est emparée de moi à l'idée qu'un

prince d'Ambre avait pu en arriver là. J'avais été élevé dans l'idée que nous étions des entités invincibles, dures comme des diamants, toujours nettes et propres, comme sur les cartes. De toute évidence, c'était faux.

Mais nous ressemblions suffisamment aux autres hommes pour en avoir les ressources intérieures.

J'ai joué à des jeux mentaux. Je me suis raconté des histoires. J'ai revécu des souvenirs agréables — j'en avais beaucoup. Je me suis remémoré les éléments : le vent, la pluie, la neige, la chaleur de l'été, la brise fraîche du printemps. J'avais possédé un petit avion sur Ombre-Terre. Le piloter avait été pour moi une sensation délicieuse. Je me souvenais des paysages colorés et scintillants que j'avais survolés, des villes en miniature, l'immensité du ciel bleu, des nuages en foule (où étaient-ils maintenant?) et de l'océan infini. Je me souvenais des femmes que j'avais aimées, de certaines soirées, de certains engagements militaires. Et lorsque j'avais tout épuisé, lorsque je n'avais plus la force de résister, je pensais à Ambre.

Un jour, en rêvant à Ambre, mes glandes lacrymales se sont remises à fonctionner. J'ai pleuré.

Après un temps interminable, un temps peuplé d'obscurité et de sommeil, j'ai entendu des pas s'arrêter devant ma cellule. Une clé dans la serrure.

C'était si longtemps après la visite de Rein que j'en avais oublié le goût du vin et des cigarettes, si longtemps que je ne pouvais pas vraiment en évaluer la durée.

Deux hommes dans le corridor. Je l'avais su au bruit de leurs pas avant même d'entendre le son de leur voix.

J'ai reconnu l'une de ces voix.

La porte s'est ouverte brutalement. Julian m'a appelé.

Je n'ai pas répondu tout de suite.

« Corwin? Viens », a-t-il répété.

Comme je n'avais pas le choix, je me suis levé et j'ai avancé. Quand j'ai senti que j'étais arrivé près de lui, je me suis arrêté.

« Que veux-tu?

— Viens avec moi. » Il m'a pris le bras.

Nous avons suivi le corridor sans qu'il dise un mot. La tête sur le billot, je ne lui aurais posé aucune question.

D'après l'écho, je compris que nous entrions dans la salle où se trouvait l'escalier. Il m'a aidé à monter.

Nous sommes entrés dans le palais.

J'ai été conduit dans une pièce où on m'a rasé et coupé les cheveux. Je n'ai pas reconnu la voix du coiffeur qui me demandait si je voulais une barbe taillée ou rasée.

« Rasez tout. » Une manucure est venue s'occuper de mes ongles — mains et pieds.

Puis on m'a baigné, on m'a aidé à enfiler des vêtements neufs, trop grands pour moi. On m'a également épouillé, mais c'est inutile d'en parler.

J'ai été conduit dans un lieu obscur rempli de musique, d'odeurs de nourriture et de voix. J'ai reconnu la salle à manger.

Le bruit des voix s'est atténué quand je suis entré. Julian m'a fait asseoir.

On a porté un toast :

« A Eric Premier, roi d'Ambre! Vive le Roi! »

Je n'ai pas bu, mais personne n'a semblé s'en apercevoir. C'est la voix de Caine qui avait porté le toast, au bout le plus éloigné de la table.

J'ai mangé tant que j'ai pu, car c'était le meilleur repas qu'on m'ait offert depuis le couronnement. D'après les conversations, j'ai compris que c'était le jour anniversaire du couronnement. J'avais passé une année entière dans une oubliette.

Personne ne m'a adressé la parole. De mon côté je n'ai rien essayé. J'étais là comme un fantôme. Pour m'humilier. Et peut-être pour servir de pense-bête à mes frères si l'envie les prenait de défier notre seigneur et maître. On avait donné ordre à tout le monde de m'ignorer.

Le dîner s'est prolongé très tard dans la nuit. On m'a fait boire beaucoup de vin, ce qui était appréciable. Je suis resté assis à écouter la musique. Quand les tables ont été enlevées, on m'a installé dans un coin.

J'ai fini par tomber ivre mort. Le matin, on a dû me ramener dans ma cellule. M'y traîner plutôt, à la fin de la fête. Je regrette de n'avoir pas été assez ivre pour vomir sur le parquet ou sur les vêtements de quelqu'un.

Ainsi s'est terminée ma première année de ténèbres.

9.

Je ne vais pas vous ennuyer avec des redites. Sachez seulement que ma seconde année a été semblable à la première, et s'est terminée de la même façon. Dito pour la troisième. Rein est venu me voir deux fois la seconde année, avec un panier plein de bonnes choses, et toutes sortes de commérages. Je lui ai chaque fois interdit de revenir. Il est revenu la troisième année. Six fois, tous les deux mois. A chaque visite, je lui ai renouvelé mon interdiction. J'ai mangé ce qu'il m'avait apporté et j'ai écouté ce qu'il avait à me dire.

Tout n'allait pas pour le mieux en Ambre. Des *choses* étranges sortaient d'Ombre et attaquaient violemment tout le monde. Personne ne leur échappait. On a fini par les éliminer. Eric a essayé de savoir d'où elles venaient. Je n'ai parlé à personne de ma malédiction, mais je me suis réjoui de voir qu'elle était efficace.

Random était toujours prisonnier. Sa femme l'avait rejoint. Les positions de mes autres frères et sœurs restaient les mêmes. J'ai atteint ainsi le troisième anniversaire du couronnement qui m'a presque régénéré.

Régénéré...

Régénéré! C'est arrivé un jour. J'en ai été tellement heureux que j'ai ouvert la dernière bouteille de vin et le dernier paquet de cigarettes apporté par Rein.

J'ai fumé et j'ai bu avec le sentiment d'avoir vaincu Eric

d'une certaine façon. S'il découvrait ce qui m'était arrivé, j'étais un homme mort. Mais je savais qu'il l'ignorait.

J'ai donc célébré cette victoire en fumant, en buvant et en me soûlant de lumière.

Oui, de *lumière*.

Loin sur ma droite, j'avais aperçu une minuscule tache claire.

En d'autres termes : je m'étais réveillé sur un lit d'hôpital et je m'apercevais que je m'étais rétabli trop vite. Pigé?

Mes fractures guérissent plus vite que celles des autres. Toute la famille possède plus ou moins cette faculté.

J'avais survécu à la peste, à la marche sur Moscou.

Je me régénère plus vite et plus complètement que n'importe qui — que ce soit autrefois ou aujourd'hui.

Napoléon avait fait une remarque à ce sujet. Le général MacArthur aussi.

Quand il s'agit d'un tissu nerveux, il faut un peu plus de temps. C'est tout.

J'étais en train de recouvrer la vue, voilà ce qu'elle voulait dire cette merveilleuse tache claire, loin sur ma droite.

Au bout de quelque temps, j'ai compris qu'il s'agissait de la petite fente placée au bas de la porte de ma cellule.

J'ai touché mes yeux. Mes doigts m'ont appris qu'ils « repoussaient ». Il m'avait fallu plus de trois ans, mais j'y étais parvenu. C'était cette chance sur un million dont j'ai parlé plus haut, cette chance qu'Eric lui-même ne pouvait pas évaluer car, dans la famille, les pouvoirs de chacun diffèrent. J'avais vaincu Eric jusqu'à un certain point : j'avais réussi à faire « repousser » mes globes oculaires. En fait, j'avais toujours su, qu'avec le temps, je pouvais régénérer mon tissu nerveux. Pendant les guerres franco-prussiennes, on m'avait abandonné, paraplégique, à la suite d'une blessure à la colonne vertébrale. Deux ans plus tard, j'étais sur pied. J'avais eu l'espoir — insensé je l'avoue — de réussir avec mes orbites ce que j'avais réussi avec ma colonne vertébrale. J'avais eu raison d'espérer. Au toucher, mes orbites étaient intactes : ma vue se rétablissait lentement.

Combien de temps me restait-il avant le prochain anniversaire du couronnement d'Eric? Je me suis arrêté de marcher de long en large, le cœur battant. Si quelqu'un découvrait la vérité, je ne donnais pas cher de mes yeux neufs.

Il fallait que je m'échappe avant la fin de la quatrième année.

Comment?

Je n'y avais pas beaucoup réfléchi jusque-là, car même si j'avais trouvé un moyen de sortir de ma cellule, je n'aurais pas pu sortir d'Ambre — ni du palais — sans mes yeux et sans que quelqu'un m'aide.

Mais maintenant...

La porte de ma cellule était lourde, épaisse, cerclée de fer, avec une grille à hauteur d'homme permettant de regarder à l'intérieur pour savoir si j'étais toujours vivant. Même en réussissant à desceller la serrure, j'étais incapable d'atteindre le loquet en passant le bras. En bas de la porte, la petite fente était juste assez large pour qu'on y glisse un plateau. Les gonds étaient à l'extérieur ou entre la porte et l'huisserie, je ne savais pas au juste. De toute façon je ne pouvais pas les atteindre. Pas de fenêtre. Pas d'autre porte.

Je percevais une faible lueur, mais ma vue n'était pas redevenue normale, je le savais. Il fallait encore du temps. Même avec une vue normale, l'obscurité du cachot était presque complète. Je connaissais les cachots d'Ambre.

J'ai allumé une cigarette et j'ai arpenté ma cellule. J'ai passé en revue ce que je possédais, en essayant de trouver quelque chose qui me soit utile. Mes vêtements, ma paillasse, et toute la paille humide qu'on voulait, des allumettes aussi, mais j'ai renoncé à l'idée de mettre le feu à la paille. Même en cas d'incendie, je n'étais pas sûr qu'on ouvre ma porte. Le gardien viendrait plutôt rigoler. Et encore! J'avais une cuiller, volée au dernier banquet. J'aurais préféré un couteau, mais

Julian m'avait surpris au moment où j'en prenais un et me l'avait confisqué. Il ignorait que le couteau était mon second vol. J'avais déjà caché la cuiller à l'intérieur de ma botte.

A quoi pouvait-elle me servir?

J'avais entendu parler de types qui s'évadaient en creusant le sol avec les outils les plus invraisemblables — boucles de ceintures (mais je n'en possédais pas) —, etc. Je n'avais pas le temps de jouer les comte de Monte-Cristo. Il me restait à peine quelques mois pour fuir, sinon mes yeux ne serviraient plus à rien.

La porte était en bois. En chêne. Encadrée par quatre barres de métal. Elle s'ouvrait vers l'extérieur. La serrure se trouvait à ma gauche. D'après mes souvenirs, le bois de la porte avait une épaisseur de cinq centimètres. Je me rappelais également la position approximative de la serrure. Je l'ai vérifiée en m'appuyant contre ladite porte : la résistance existait bien à l'endroit que je pensais. Je savais qu'une barre de fer verrouillait la porte de l'extérieur, mais je pouvais m'en occuper plus tard. Peut-être la soulever en glissant le manche de la cuiller entre le chambranle et la porte.

Je me suis agenouillé et, avec la cuiller, j'ai tracé sur le bois un rectangle ayant la taille approximative de la serrure. J'ai travaillé jusqu'à en avoir la main ankylosée — peut-être deux heures? Puis j'ai fait courir mon ongle à la surface du bois. Je l'avais nettement entamé, mais cela n'était qu'un début. J'ai changé de main et j'ai continué jusqu'à l'épuisement.

J'espérais que Rein viendrait. J'étais sûr qu'en insistant, je pouvais le convaincre de me donner une dague. Mais il n'est pas venu. J'ai continué à gratter.

En travaillant jour après jour, j'ai fini par entamer le bois d'un centimètre et demi. Chaque fois que j'entendais les pas du gardien, je remettais ma paillasse contre le mur opposé et m'y allongeais en tournant le dos à la porte. L'alerte passée, je me remettais au travail. J'ai été contraint à une plus longue interruption, trop longue à mon goût. Mes mains étaient couvertes d'ampoules. J'avais pourtant pris la précaution de les envelopper dans des morceaux de tissu arrachés à mes vêtements. Les ampoules avaient crevé, la chair était à vif et saignait. J'ai été obligé de m'arrêter pour qu'elles guérissent. En attendant je me suis mis à réfléchir à ce que j'allais faire après l'évasion.

Lorsque j'aurais suffisamment creusé la porte autour de la serrure, je soulèverais la barre. Le bruit qu'elle ferait en tombant attirerait sans doute le gardien. Je serais sorti avant son arrivée. Un ou deux bons coups de pied à l'endroit creusé par la cuiller suffiraient à faire sauter la serrure. La porte s'ouvrirait. Je serais prêt à faire face au gardien. Il serait armé et moi pas. Je serais obligé de le tuer.

Il serait sans doute un peu trop sûr de lui car il me croirait aveugle. Ou bien il se souviendrait de la façon dont je m'étais battu pour entrer en Ambre, et il aurait peur. De toute façon, il mourrait. Du même coup je serais armé. J'ai tâté mon biceps droit. Je n'avais que la peau et les os! Qu'importe, j'étais du sang d'Ambre. Malgré mon état de faiblesse j'étais capable de tuer n'importe quel homme ordinaire. Je me nourrissais peut-être d'illusions, mais il fallait essayer.

Si j'avais une épée, et si tout allait bien, rien ne pourrait m'empêcher d'atteindre La Marelle. Je la traverserais. Une fois au centre, je me transporterais dans n'importe quel monde Ombre de mon choix. Je m'y rétablirais, et cette fois, je prendrais mon temps. Même s'il fallait attendre un siècle, je ne m'attaquerais pas à Ambre avant d'avoir tout mis au point. Techniquement, j'étais son seigneur et maître. Ne m'étais-je pas couronné moi-même avant Eric, en présence de tous? Je ferais valoir mon droit au trône!

Si seulement il était possible de gagner Ombre à partir d'Ambre elle-même! Je n'aurais pas à me soucier de La Marelle. Mais Ambre est le centre de tout. On ne peut pas la quitter aussi facilement.

Au bout d'un mois environ, mes mains se sont couvertes de

callosités. J'ai entendu les pas du gardien. Je suis allé m'adosser contre le mur. Petit craquement : il me glissait mon repas sous la porte. Nouveaux bruits de pas : il était reparti.

Je suis revenu vers la porte. Inutile de regarder le plateau pour savoir ce qu'il contenait : un morceau de pain rassis, un pot d'eau, et avec un peu de chance, du fromage. Je me suis agenouillé et j'ai tâté la rainure : le bois était entamé de moitié.

J'ai entendu alors un rire étouffé.

Derrière moi.

Je me suis retourné. Je n'avais pas besoin de mes yeux pour savoir qu'il y avait quelqu'un. Un homme. Contre le mur gauche. Il pouffait de rire.

« Qui êtes-vous? » ai-je demandé. Le son de ma voix me surprit. C'étaient les premiers mots que je prononçais depuis très longtemps.

« Vous évader, a-t-il dit. Vous essayez de vous évader. » Il a ri de plus belle.

« Comment êtes-vous entré ici?

— Je suis entré.

— Par où? Comment? »

J'ai craqué une allumette. La flamme m'a fait mal aux yeux.

C'était un petit homme. Minuscule serait plus exact. Il mesurait environ un mètre cinquante, bosse comprise. Ses cheveux et sa barbe étaient aussi longs que les miens. Au milieu de cette masse de poils, on apercevait un long nez crochu et des yeux entièrement noirs qui louchaient vers la lumière.

« Dworkin! »

Il gloussa encore.

« C'est mon nom. Et le vôtre?

— Tu ne me reconnais pas, Dworkin? » J'ai craqué une autre allumette et je l'ai tenue devant mon visage. « Regarde attentivement. Oublie ma barbe et mes cheveux. Ajoute une cinquantaine de kilos. Tu m'as dessiné en détail sur plusieurs paquets de cartes.

— Corwin, dit-il finalement. Je me souviens de vous. Oui.

— Je croyais que tu étais mort.

— Je ne le suis pas. Vous voyez? » Il a tourné sur lui-même. « Comment va votre père? L'avez-vous vu récemment? C'est lui qui vous a fait enfermer ici?

— Oberon n'est plus. Mon frère Eric règne sur Ambre, et je suis son prisonnier.

— Alors j'ai l'avantage de l'ancienneté, car je suis le prisonnier d'Oberon.

— Personne ne savait que Père t'avait enfermé. »

Il s'est mis à pleurer.

« Oui, il n'avait plus confiance en moi.

— Pourquoi?

— J'avais trouvé le moyen de détruire Ambre. Je le lui ai expliqué en détail et il m'a enfermé.

— Ce n'était pas une chose à faire.

— Je sais. Mais il m'a offert un bel appartement et toutes sortes de choses pour continuer mes recherches. Au bout de quelque temps, il a cessé de me rendre visite. Il avait l'habitude de venir avec des hommes qui me montraient des taches d'encre, et je disais tout ce que je savais sur eux. C'était amusant. Un jour j'ai dit des choses pas très flatteuses et j'ai changé l'homme en grenouille. Le roi s'est mis en colère quand j'ai refusé de redonner à la grenouille sa forme première. Ça fait si longtemps que je n'ai plus vu personne que j'obéirais aujourd'hui s'il me le demandait. Un jour...

— Comment es-tu entré ici, dans ma cellule?

— Je vous l'ai dit. Je suis entré.

— A travers le mur?

— Bien sûr que non. A travers le mur Ombre.

— Personne ne peut utiliser Ombre en Ambre. Il n'y a pas d'Ombres en Ambre.

— J'ai triché, reconnut-il.

— Comment?

— J'ai dessiné un nouvel Atout et je m'en suis servi pour passer ici et voir ce qu'il y avait de l'autre côté du mur. Seigneur!... Je m'en souviens brusquement... Sans cet Atout, je ne peux pas retourner. Il va falloir que j'en dessine un autre. Avez-vous quelque chose à manger? Et quelque chose qui puisse me servir à dessiner? Et quelque chose sur quoi dessiner?

— Prends un morceau de pain. Voici un peu de fromage pour l'accompagner.

— Merci, Corwin. » Il a dévoré. Il a bu toute l'eau qui restait. « Maintenant, si vous me donniez une plume et un morceau de parchemin, je pourrais retourner dans mon appartement. Je veux terminer un livre que je suis en train de lire. J'ai été ravi de bavarder avec vous. Dommage pour Eric. Je reviendrai un de ces jours pour bavarder encore. Si vous voyez votre père, dites-lui je vous prie de ne pas être en colère contre moi parce que...

— Je n'ai ni plume ni parchemin.

— Dieu du ciel, c'est à peine civilisé.

— Je sais. Mais Eric ne l'est pas beaucoup.

— Qu'avez-vous alors? Je préfère mon appartement. La lumière y est meilleure.

— Tu as dîné avec moi. Je vais te demander une faveur. Si tu me l'accordes, je te promets de faire tout ce que je pourrai pour arranger les choses entre mon père et toi.

— Que voulez-vous?

— J'admire ton œuvre depuis longtemps. Il y a quelque chose que j'ai toujours désiré : un tableau de ta main. Te souviens-tu du phare de Cabra?

— Bien entendu. J'y suis allé plusieurs fois. Je connais le gardien, Jopin. J'ai souvent joué aux échecs avec lui.

— Pendant toute ma vie d'adulte, j'ai rêvé de te voir dessiner cette grande tour grise.

— C'est un sujet très simple et très amusant. J'avais fait quelques esquisses préliminaires dans le passé, mais je ne suis jamais allé plus loin. D'autres travaux m'absorbaient. Je vais aller vous en chercher une si vous voulez.

— Non. Je voudrais quelque chose qui puisse me tenir

compagnie ici, dans ma cellule — pour me réconforter et réconforter plus tard tous les occupants de ce cachot.

— Mais comment?

— Je possède une pointe (la cuiller était devenue aiguisée comme un stylet) et j'aimerais que tu dessines cette tour sur le mur pour que je puisse l'admirer en me reposant. »

Il est resté silencieux un moment puis il a remarqué : « L'éclairage est plutôt médiocre.

— J'ai plusieurs pochettes d'allumettes. Je t'éclairerai. Si nous manquons d'allumettes, nous pourrons brûler un peu de paille.

— Ce ne sont pas des conditions de travail très favorables...

— Je sais, et je te prie de m'en excuser, grand Dworkin, mais je ne peux pas faire mieux. Une œuvre d'art de ta main illuminerait mon humble existence au-delà de toute expression. »

Il a pouffé de rire une nouvelle fois.

« Entendu. Mais permettez-moi de m'éclairer ensuite pour que je puisse faire mon dessin et retourner chez moi.

— Promis. »

J'ai fouillé mes poches. J'ai trouvé trois pochettes d'allumettes intactes et une qui était entamée.

Je lui ai donné la cuiller et l'ai guidé vers le mur.

« Reconnais-tu l'outil que tu as en main?

— C'est une cuiller aiguisée, non?

— Exact. Dès que tu seras prêt, je ferai de la lumière. Il faut que tu dessines vite, car mon stock d'allumettes est limité. J'en réserve une moitié pour le phare, l'autre moitié pour ton propre dessin.

— D'accord. » J'ai craqué une allumette. Il a commencé à dessiner sur le mur gris et humide.

Il a d'abord tracé un rectangle en hauteur pour encadrer le sujet. Après plusieurs traits adroits, le phare a commencé de naître. C'était surprenant, mais son habileté était intacte malgré sa folie. Je prenais chaque allumette par son extrémité, humectais mon pouce et mon index gauches, et lorsque je ne pouvais plus la tenir dans la main droite, je la retournais, je prenais le côté calciné dans la main gauche humectée, et l'allumette se consumait ainsi jusqu'au bout.

A la fin de la première pochette, il avait achevé la tour et travaillait sur la mer et sur le ciel. Je l'encourageai par des murmures d'admiration.

« Merveilleux, vraiment merveilleux. » Le dessin était presque terminé. Il m'a obligé à perdre une allumette pour la signature. J'étais au bout de la seconde pochette.

« Voyons un peu ce que cela donne, dit-il.

— Ce n'est pas le moment de jouer les critiques d'art. Mon stock d'allumettes s'épuise. Si tu veux rentrer chez toi, commence ton propre dessin. »

Il a fait la moue, s'est tourné vers l'autre mur et s'est mis à dessiner.

Il a esquissé un petit cabinet de travail, avec un crâne sur la table, un globe et des tas de livres sur les murs.

« Voilà qui est bien », dit-il. J'avais fini la troisième pochette Je commençais la quatrième, celle qui était entamée.

Il lui a fallu six autres allumettes pour achever son dessin et le signer.

Il a considéré son œuvre pendant que la huitième se consumait — il n'en restait plus que deux — puis il a fait un pas en avant et a disparu.

L'allumette me brûlait le bout des doigts. Je l'ai lâchée. Elle s'est éteinte sur la paille humide en grésillant.

Je suis resté immobile et tremblant, assailli par des sentiments contradictoires. J'ai de nouveau entendu sa voix et senti sa présence à mes côtés. Il était revenu.

« J'ai pensé à quelque chose, dit-il. Comment pouvez-vous voir le dessin alors qu'il fait si noir?

— Je suis capable de voir dans l'obscurité. J'y vis depuis tellement longtemps qu'elle est devenue une amie.

— Je comprends. Je m'étais simplement posé la question. Faites-moi de la lumière pour que je puisse rentrer.

— D'accord. » Je songeai à mon avant-dernière allumette. « Mais la prochaine fois tu feras bien d'apporter ton éclairage. C'est ma dernière allumette.

— Entendu. »

J'en ai allumé une : il s'est concentré sur son dessin, a fait un pas et a disparu.

Je me suis vivement tourné vers le phare de Cabra pour profiter de la flamme de l'allumette. Oui, le pouvoir était toujours là. Je le sentais.

La dernière allumette suffirait-elle?

Sûrement pas. Il me fallait un temps de concentration plus long qu'avec un Atout.

Qu'y avait-il à brûler? La paille était trop humide et ne prendrait pas feu. C'était terrible d'avoir ainsi une porte de sortie — une route vers la liberté — à portée de la main et de ne pas pouvoir m'en servir.

J'avais besoin d'une flamme qui brûle longtemps.

La housse de matelas! C'était une housse en jute, bourrée de paille. Cette paille devait être plus sèche que celle qui était par terre. Le tissu brûlerait aussi.

J'ai déblayé une partie du sol pour qu'apparaisse la dalle de pierre nue. Quand j'ai voulu couper la housse avec la cuiller aiguisée, j'ai poussé un juron : Dworkin l'avait emportée avec lui.

J'ai tiré de toutes mes forces.

Le tissu a fini par céder. J'ai sorti la paille sèche, j'en ai fait un petit tas et j'ai mis la housse de côté comme combustible de secours. Moins il y aurait de fumée, mieux cela vaudrait. Si le gardien passait, ça pourrait attirer son attention. C'était d'ailleurs peu probable car il venait de m'apporter ma nourriture, et je n'avais droit qu'à un repas par jour.

J'ai craqué ma dernière allumette, je l'ai approchée de la pochette en carton. Quand celle-ci s'est enflammée je l'ai approchée du tas de paille.

Le feu a failli ne pas prendre. La paille était plus humide

que je ne croyais. Il y eut enfin un rougeoiement, puis une flamme. J'avais eu besoin de deux pochettes vides pour y arriver. Encore heureux que je ne les aie pas jetées dans la fosse d'aisances.

J'ai ajouté la troisième et j'ai pris la housse dans la main gauche. Le dessin était en face de moi.

Les flammes se sont élevées, ont éclairé le mur. Je me suis concentré sur la tour en faisant appel à mes souvenirs. J'ai cru entendre le cri d'une mouette. J'ai reniflé quelque chose qui ressemblait à une brise salée. Le tableau devenait plus réel à mesure que je le fixais.

J'ai jeté la housse sur la flamme. Après un instant, elle s'est élevée plus haut. Je n'avais pas quitté le dessin des yeux.

La magie était toujours présente dans la main de Dworkin, car très vite, le phare m'a semblé aussi réel que ma cellule. Le phare est devenu réalité. La cellule n'a plus été qu'Ombre derrière moi. J'ai entendu le clapotis de l'eau. J'ai senti sur mon visage quelque chose qui ressemblait au soleil de l'après-midi.

J'ai fait un pas en avant. Mon pied ne s'est pas posé sur le feu.

Je me suis trouvé sur le rivage sableux de la petite île de Cabra où se dressait le grand phare qui guidait chaque nuit les bateaux d'Ambre. Quelques mouettes effrayées tournoyaient autour de moi. Mon rire s'est mêlé au grondement du ressac et à la chanson du vent. Ambre s'étendait à quarante-trois milles sur ma gauche.

Je m'étais évadé.

10.

Je me suis dirigé vers le phare. J'ai monté l'escalier de pierre menant à la porte, face ouest. Elle était haute, large, imposante et étanche. Fermée aussi. Il y avait un petit appontement à trois cents mètres derrière moi. Deux bateaux y étaient amarrés : une barque et un petit voilier qui comportait une cabine. Ils se balançaient doucement sur l'eau miroitante. Je me suis arrêté un moment pour les regarder. Cela faisait très longtemps que je n'avais plus rien vu. Pendant un instant, ils m'ont parus irréels. J'en ai eu la gorge nouée.

J'ai frappé à la porte.

Finalement, j'ai entendu un bruit à l'intérieur. La porte s'est ouverte en grinçant sur ses gonds.

Jopin, le gardien, me regardait avec des yeux injectés de sang. Son haleine était lourde de whisky. Il mesurait environ un mètre soixante-cinq. Il était tellement voûté qu'il m'a rappelé Dworkin. Sa barbe était aussi longue que la mienne, sa couleur rappelant celle de la fumée, avec quelques taches jaunes autour des lèvres sèches. Sa peau était aussi poreuse qu'une écorce d'orange, tellement tannée par les éléments qu'elle ressemblait à du bois précieux. Ses yeux sombres louchaient en me regardant. Comme beaucoup de gens durs d'oreille, il parlait très fort.

« Qui êtes-vous? Que voulez-vous? »

Puisque j'étais à ce point méconnaissable, autant garder l'anonymat.

« Je suis un voyageur venant du sud. J'ai été victime d'un naufrage. Je me suis accroché à une planche pendant plusieurs jours. J'ai été rejeté ici. J'ai dormi sur la plage toute la matinée et j'ai marché jusqu'ici. »

Il est venu vers moi, m'a passé un bras autour des épaules.

« Entrez, entrez. Appuyez-vous sur moi. Ne vous pressez pas. Venez par ici. »

Il m'a conduit à sa chambre. Il y régnait un désordre indescriptible : vieux livres, cartes, graphiques et équipement nautique traînaient un peu partout. Je ne m'appuyais pas trop sur lui, car il n'était pas très solide sur ses jambes. Juste assez pour donner une impression de fatigue.

Il m'a conduit vers un lit de repos, conseillé de m'allonger. Puis il est allé verrouiller la porte et me chercher quelque chose à manger.

J'ai enlevé mes bottes. J'avais les pieds dans un tel état de saleté que je les ai remises. Un homme qui a dérivé aussi longtemps sur une planche n'est pas sale. Je ne voulais pas qu'il sache qui j'étais. J'ai pris une couverture qui traînait. Je me suis enveloppé dedans et je me suis allongé, goûtant enfin un vrai repos.

Jopin est revenu avec un cruchon d'eau et un cruchon de bière, une grosse tranche de bœuf, et la moitié d'un pain, le tout sur un plateau de bois carré. D'un revers de main, il a dégagé une petite table, l'a approchée du divan d'un coup de pied. Il y a posé le plateau et m'a ordonné de manger.

J'ai obéi. Je me suis empiffré, goinfré. J'ai tout mangé. J'ai vidé les deux cruchons.

La fatigue s'est emparée de moi. Jopin a hoché la tête et m'a conseillé de dormir. Avant de dire ouf, je dormais à poings fermés.

Il faisait nuit lorsque je me suis réveillé. Je ne m'étais pas senti aussi bien depuis des semaines. Je me suis levé et je suis retourné à la plage. Il faisait frais. Le ciel était pur comme du cristal, parsemé de millions d'étoiles. Le faisceau lumineux du phare brillait derrière moi, disparaissait, brillait de nouveau et disparaissait. L'eau était froide mais il fallait que je me lave. Je me suis baigné. J'ai lavé mes vêtements. Je les ai étendus sur le sable. J'ai dû passer une heure dehors. Je suis revenu au phare, j'ai installé mes vêtements sur le dossier d'une vieille chaise, je me suis faufilé sous ma couverture et je me suis rendormi.

Le lendemain, à mon réveil, Jopin était déjà debout. Il m'avait préparé un copieux petit déjeuner que j'ai englouti comme le repas de la veille. Je lui ai ensuite emprunté un rasoir, un miroir, une paire de ciseaux. Je me suis rasé. J'ai taillé mes cheveux tant bien que mal. Je me suis baigné une nouvelle fois, et en remettant mes vêtements raidis par le sel, mais propres, j'ai eu le sentiment d'être un être humain.

Quand je suis revenu de la plage, Jopin m'a regardé en disant :

« Votre visage m'est familier, camarade. »

J'ai haussé les épaules.

« Racontez-moi maintenant votre naufrage. »

Je me suis exécuté. J'ai inventé de toutes pièces une histoire. Un véritable désastre! Jusqu'à la rupture du grand mât.

Il m'a tapé sur l'épaule, m'a versé à boire et m'a offert un cigare.

« Vous n'avez qu'à vous reposer ici tranquillement. Je vous ramènerai sur la côte quand vous voudrez, ou je vous signalerai à un bateau de passage si vous en apercevez un. »

J'ai accepté son hospitalité. J'ai mangé sa nourriture, bu sa bière, accepté même une chemise propre, trop grande pour lui, qui avait appartenu à l'un de ses amis perdu en mer.

Je suis resté trois mois avec lui, en reprenant des forces. Je l'ai aidé dans ses travaux — m'occupant du phare les nuits où il avait envie de se soûler, nettoyant son logement, allant même jusqu'à repeindre la chambre, à remplacer des carreaux aux fenêtres, et à surveiller la mer avec lui, les nuits de tempête.

Il était apolitique. Il ne s'occupait pas de savoir qui régnait sur Ambre. Pour lui, nous étions tous une bande de pourris. Tant qu'il pouvait prendre soin de son phare, bien manger, boire de la bonne bière et étudier tranquillement ses cartes nautiques, il se souciait comme d'une guigne de ce qui se passait ailleurs. Je me suis pris d'affection pour lui. Comme je m'y connaissais en vieilles cartes moi aussi, nous avons passé plus d'une soirée à en corriger quelques-unes. J'avais navigué dans le Nord autrefois, et j'ai dressé pour lui une nouvelle carte fondée sur mes souvenirs. Il en a éprouvé un immense plaisir.

« Corey (c'était le nom que je m'étais donné) j'aimerais naviguer un jour avec vous. Je n'avais pas compris que vous étiez le commandant de votre bateau.

— Et vous? Vous avez été capitaine vous-même, n'est-ce pas?

— Comment l'avez-vous su? »

Je m'en souvenais. Mais j'ai montré tous les objets autour de moi en guise de réponse.

« Grâce à ces choses que vous avez collectionnées, et à votre amour des cartes nautiques. Vous vous conduisez comme un homme qui a commandé autrefois. »

Il a souri.

« C'est vrai. J'ai commandé pendant plus de cent ans. Ça fait si longtemps... Buvons un autre verre. »

J'ai bu une petite gorgée et j'ai posé mon verre. J'avais dû reprendre plus de vingt kilos durant ces trois mois. Il était capable de me reconnaître d'un jour à l'autre. S'il savait qui j'étais, peut-être me livrerait-il à Eric. J'avais le sentiment qu'il ne le ferait pas. Mais je ne voulais pas courir ce risque.

Quelquefois, pendant que je m'occupais du phare, je me demandais : « Combien de temps faut-il que je reste ici? »

J'ai pris ma décision en graissant une roue dentelée : pas trop longtemps. Le temps approchait où il me faudrait reprendre la route et vivre de nouveau parmi les Ombres.

Un jour j'ai senti une pression. Quelqu'un de ma famille qui désirait entrer en contact avec moi. Je ne savais pas exactement qui c'était.

Je me suis immobilisé en fermant les yeux et en vidant mon esprit. Cinq minutes se sont écoulées, puis la présence s'est retirée.

J'ai marché de long en large en réfléchissant, et je n'ai pas pu m'empêcher de sourire en constatant que je marchais comme dans ma cellule d'Ambre, en faisant le même nombre de pas.

Quelqu'un avait essayé de me contacter, *via* mon Atout. Eric? Était-il au courant de mon évasion? Cherchait-il par ce moyen à me localiser? Je n'en étais pas sûr. Il devait craindre un nouveau duel mental avec moi. Julian alors? Gérard? Caine? Qu'importe! J'avais repoussé mon mystérieux correspondant. J'étais décidé à refuser tout contact avec ma famille. Je ne pouvais me permettre de prendre ce risque même s'il s'agissait d'une nouvelle importante pour moi, ou d'un appel qui pouvait m'être utile. Cette tentative de contact et l'effort que j'avais fait pour la repousser m'avaient glacé. Je frissonnais. J'ai repensé à cet incident tout le reste de la journée. Il était temps de partir. J'étais encore très vulnérable. C'était dangereux de rester aussi près d'Ambre. J'avais repris suffisamment de forces pour reprendre le chemin des Ombres, et chercher le lieu où je voulais résider. Grâce à ses soins attentifs, le vieux Jopin avait fait naître en moi un sentiment proche de la paix intérieure. J'étais triste de le quitter car j'avais appris à l'aimer. Ce soir-là, après une partie d'échecs, je l'ai mis au courant de mes projets.

Il nous a versé à boire, a levé son verre en disant : « Bonne chance à vous Corwin. J'espère vous revoir un jour. »

Je ne lui ai pas demandé pourquoi il m'avait appelé par mon

nom. Il a souri en s'apercevant que ça ne m'avait pas échappé.

« Tu as été parfait, Jopin. Si mes projets réussissent, je n'oublierai pas ce que tu as fait pour moi. »

Il a secoué la tête.

« Je ne veux rien. Je suis heureux où je suis, à faire exactement ce que je fais. J'aime m'occuper de ce sacré vieux phare. C'est toute ma vie. Si vous réussissez dans votre entreprise, quelle qu'elle soit — non, ne m'en dites rien! Je ne veux pas savoir! — je vivrai dans l'espoir que vous passerez un jour par ici et que nous referons une partie d'échecs.

— Je te le promets.

— Vous pouvez prendre le *Butterfly* demain matin si vous voulez.

— Merci. »

Le *Butterfly* était le petit voilier.

« Avant de partir je vous conseille de prendre ma longue-vue, de grimper là-haut, et de jeter un coup d'œil sur la vallée de Garnath.

— Qu'y a-t-il à voir? »

Il a haussé les épaules.

« C'est à vous d'en décider. »

J'ai hoché la tête.

« D'accord, je monterai. »

Nous avons bu jusqu'à sentir une agréable euphorie, puis nous sommes allés nous coucher. Le vieux Jopin allait me manquer. Rein excepté, c'était le seul ami que j'avais rencontré depuis mon retour. J'étais vaguement intrigué par ce qu'il m'avait dit de la vallée. La dernière fois que je l'avais vue, elle était en feu. Que pouvait-il y avoir de si extraordinaire quatre ans après?

J'ai dormi. Mes rêves étaient peuplés de loups-garous et de sabbats. La pleine lune s'est levée sur le monde.

Je me suis levé au premier rayon de l'aube. Jopin dormait encore, et c'était tant mieux. Je n'aime pas les adieux et j'avais le curieux sentiment de ne jamais le revoir.

J'ai pris la longue-vue et j'ai grimpé au sommet de la tour, dans la salle où était installée la lentille du phare. Je suis allé vers la fenêtre qui faisait face à la côte et j'ai fait le point sur la vallée.

Un brouillard flottait au-dessus des bois. C'était une chose humide, froide et grise, qui s'accrochait au faîte des arbres rabougris. Ceux-ci étaient sombres, avec des branches tordues et emmêlées comme des bras de lutteurs. Des choses noires s'y ruaient les unes contre les autres. A la façon dont elles se battaient, j'ai su que ce n'étaient pas des oiseaux. Probablement des chauves-souris. Il y avait quelque chose de démoniaque dans ce bois, j'en étais convaincu. J'ai alors compris : c'était moi-même.

Ma malédiction avait donné naissance à ces choses. J'avais transformé la paisible vallée de Garnath en vallée infernale : c'était un symbole de ma haine pour Eric et pour tous ceux qui avaient permis qu'il s'empare du pouvoir, tous ceux qui l'avaient laissé me brûler les yeux. La vue de cette forêt me mettait mal à l'aise. A mesure que je la regardais, je découvrais à quel point ma haine s'était matérialisée. Je la reconnaissais car elle faisait partie de moi.

J'avais créé un nouveau passage vers le monde réel. Garnath était devenu un chemin qui traversait les Ombres. Les ombres noires et sinistres. Seuls les êtres malveillants et dangereux pourraient s'y aventurer. C'était ça la source des *choses* dont Rein avait parlé, ces choses qui inquiétaient Eric. Il avait ainsi de quoi s'occuper. Mais je ne pouvais m'empêcher de penser que j'avais mal agi. Sur le moment, je n'avais pas su que je reverrais la lumière du jour. Je me rendais compte maintenant que j'avais libéré quelque chose qui demanderait un temps considérable à faire disparaître. J'avais fait ce que jamais personne n'avait fait : j'avais ouvert un nouveau chemin vers Ambre, mais seulement pour le pire. Un jour viendrait où le seigneur d'Ambre — quel qu'il soit — se verrait contraint de fermer ce chemin infernal. Je l'ai compris en le regardant. J'ai pris conscience que cette chose était le produit de ma douleur, de ma colère et de ma haine. Si je régnais un jour sur Ambre, je serais obligé de combattre mon œuvre moi-même, et c'est toujours une tentative diabolique. J'ai baissé la longue-vue en soupirant.

Qu'il en soit ainsi. En attendant, j'aurais donné des insomnies à Eric.

J'ai gagné le *Butterfly* aussi vite que possible, j'ai hissé les voiles, largué les amarres et pris le vent. Généralement, Jopin était debout à cette heure-là. Peut-être n'aimait-il pas les adieux lui non plus.

J'ai dirigé le bateau vers la haute mer. Je savais où j'allais, mais j'ignorais comment y parvenir. Il me fallait naviguer parmi les Ombres, sur des eaux inconnues. C'était préférable à la voie de terre, ne serait-ce que pour éviter mon « œuvre ».

Je faisais voile vers un pays presque aussi étincelant qu'Ambre, un lieu presque immortel qui n'existait pas vraiment, qui n'existait plus. Il s'était fondu depuis des siècles dans le Chaos, mais son Ombre devait avoir survécu quelque part. Il fallait que je la trouve, que je la reconnaisse et que je m'en empare comme je m'en étais emparé jadis. Appuyé par mes propres forces armées, je pourrais alors attaquer Ambre comme personne jamais ne l'avait attaquée. Je ne savais pas encore de quelle façon, mais je fis le serment que les canons tonneraient dans la cité immortelle le jour de mon retour.

Pendant que je naviguais dans Ombre, j'ai appelé un oiseau blanc. Il est venu se poser sur mon épaule droite. J'ai écrit un mot, l'ai accroché à sa patte et je l'ai lâché dans le ciel. Le mot disait : « Je viens », avec ma signature.

Je ne prendrais plus aucun repos avant de m'être vengé et d'avoir conquis le trône. Gare à quiconque voudrait se mettre en travers.

Le soleil était bas sur ma gauche. Le vent gonflait les voiles et me poussait en avant. Je me suis mis à jurer. Puis à rire.

J'étais libre et je fuyais. Jusque-là tout allait bien. Je tenais enfin l'occasion tant attendue.

J'ai appelé un oiseau noir. Il est venu se poser sur mon épaule gauche. J'ai écrit un mot, l'ai accroché à sa patte et l'ai renvoyé vers l'ouest.

Il disait : « Je reviendrai, Eric », signé : « Corwin, Seigneur d'Ambre. »

Un vent puissant me poussait à l'est du soleil

EXTRAIT DU CATALOGUE
« Présence du futur »

1.	Ray Bradbury	*Chroniques martiennes*
2.	Fredric Brown	*Une étoile m'a dit*
3.	Ray Bradbury	*L'homme illustré*
4.	H. P. Lovecraft	*La couleur tombée du ciel*
5.	H. P. Lovecraft	*Dans l'abîme du temps*
6.	John W. Campbell	*Le ciel est mort*
7.	Jean Ray	*Malpertuis*
8.	Ray Bradbury	*Fahrenheit 451*
9.	Alfred Bester	*L'homme démoli*
10.	Richard Matheson	*Je suis une légende*
11.	Jean-Louis Bouquet	*Aux portes des ténèbres*
12.	Chad Oliver	*Ombres sur le soleil*
13.	Jean-Louis Curtis	*Un saint au néon*
14.	Ray Bradbury	*Les pommes d'or du soleil*
15.	Jacques Sternberg	*La sortie est au fond de l'espace*
16.	H. P. Lovecraft	*Par-delà le mur du sommeil*
17.	Fredric Brown	*Martiens, go home*
18.	Richard Matheson	*L'homme qui rétrécit*
19.	Jean Paulhac	*Un bruit de guêpes*
20.	Ray Bradbury	*Le pays d'octobre*
21.	Jacques Sternberg	*Entre deux mondes incertains*
22.	Alfred Bester	*Terminus les étoiles*
23.	René Barjavel	*Le voyageur imprudent*
24.	A. E. Van Vogt	*La cité du grand juge*
25.	J. H. Rosny Ainé	*La mort de la terre*
26.	Gérard Klein	*Les perles du temps*
27.	John Atkins	*Les mémoires du futur*
28.	John Wyndham	*Les coucous de Midwich*
29.	Brian Aldiss	*Croisière sans escale*
30.	James Blish	*Un cas de conscience*
31.	Charles Beaumont	*Là-bas et ailleurs*
32.	Edmund Cooper	*Pygmalion 2113*
33.	René Barjavel	*Le diable l'emporte*
34.	John Wyndham	*Le temps cassé*
35.	Compton Mackenzie	*La république lunatique*
36.	Arthur C. Clarke	*Demain, moisson d'étoiles*
37.	Marianne Andrau	*Les faits d'Eiffel*
38.	David Duncan	*Le rasoir d'Occam*
39.	Brian Aldiss	*L'espace, le temps et Nathanaël*
40.	Alexandre Arnoux	*Le règne du bonheur*
41.	René Sussan	*Les confluents*
42.	Sheridan Le Fanu	*Carmilla*
43.	Robert Sheckley	*Pèlerinage à la Terre*
44.	Jean Hougron	*Le signe du chien*
45.	H. P. Lovecraft	*Je suis d'ailleurs*
46-47.	Walter M. Miller	*Un cantique pour Leibowitz*
48.	Pierre Véry	*Tout doit disparaître le 5 mai*

49. Ray Bradbury	*Un remède à la mélancolie*
50. James Blish	*Terre, il faut mourir*
51. Pierre Véry	*Le pays sans étoiles*
52. Clifford D. Simak	*La croisade de l'idiot*
53. G. M. Glaskin	*Billets de logement*
54. John Wyndham	*L'herbe à vivre*
55. Léo Szilard	*La voix des dauphins*
56. G. de Pawlowski	*Voyage au pays de la quatrième dimension*
57. Poul Anderson	*Les croisés du cosmos*
58. Brian Aldiss	*Équateur*
59. Jérôme Seriel	*Le satellite sombre*
60-61. Kurt Vonnegut	*Les sirènes de Titan*
62. Mordecai Roshwald	*Les mutinés du « Polar Lion »*
63. Gérard Klein	*Le temps n'a pas d'odeur*
64. Naomi Mitchison	*Mémoires d'une femme de l'espace*
65. Fredric Brown	*Fantômes et farfafouilles*
66. Clifford D. Simak	*Tous les pièges de la Terre*
67. Belcampo	*Le monde fantastique de Belcampo*
68. Daniel F. Galouye	*Le monde aveugle*
69. Maxim Jakubowski	*Loin de Terra*
70. W. M. Miller	*Humanité provisoire*
71-72. Ray Bradbury	*La foire des ténèbres*
73. Herbert W. Franke	*La cage aux orchidées*
74. J. G. Ballard	*Le monde englouti*
75. Fredric Brown	*Lune de miel en Enfer*
76. Clifford D. Simak	*Une certaine odeur*
77. John Brunner	*Stimulus*
78. Alexandre Kazantzev	*Le chemin de la Lune*
79. Edmund Cooper	*Pas de quatre*
80. James Blish	*Aux hommes les étoiles*
81. Brian Aldiss	*Airs de Terre*
82. J. G. Ballard	*Cauchemar à quatre dimensions*
83. Jack Vance	*Les langages de Pao*
84-85. Ray Bradbury	*Les machines à bonheur*
86. Xavier de Langlais	*L'île sous cloche*
87. Daniel F. Galouye	*Les seigneurs des sphères*
88. Lino Aldani	*Bonne nuit Sophia*
89. Isaac Asimov	*Fondation*
90. Stanislas Lem	*Solaris*
91. Algernon Balckwood	*Élève de quatrième... dimension*
92. Isaac Asimov	*Fondation et empire*
93. Keith Laumer	*L'ordinateur désordonné*
94. Isaac Asimov	*Seconde fondation*
95. Brian Aldiss	*Barbe-Grise*
96. Stanislas Lem	*Le bréviaire des robots*
97. Emilio de Rossignoli	*H sur Milan*
98. J. G. Ballard	*La forêt de cristal*
99. James Blish	*Villes nomades*
100. Edward de Capoulet-Junac	*Pallas ou la tribulation*
101. Algernon Blackwood	*Migrations*
102. L. P. Davies	*L'homme artificiel*
103-104. James Blish	*La Terre est une idée*

105. Isaac Asimov .... *La fin de l'éternité*
106. James Blish............. *Un coup de cymbales*
107. Terry Carr .... *La science-fiction pour ceux qui détestent la science-fiction*
108. Domingo Santos .... *Gabriel, histoire d'un robot*
109. Stanislas Lem........... *La Cybériade*
110. Edwin A. Abbott......... *Flatland*
111. Clifford D. Simak .... *Le principe du loup-garou*
112. Gonner Jones .... *Céphalopolis*
113-114. Isaac Asimov .... *Histoires mystérieuses 1 et 2*
115. William F. Nolan et George C. Johnson .... *L'âge de cristal*
116. M. K. Joseph............ *Le trou dans le zéro*
117. Michael Frayn .... *Une vie très privée*
118. Jean-Pierre Andrevon ..... *Les hommes-machines contre Gandahar*
119. Clifford D. Simak .... *La réserve des lutins*
120. Fredric Brown........... *L'univers en folie*
121. Hal Clement............. *Grains de sable*
122. L. Sprague de Camp...... *Le coffre d'Avlen*
123. Isaac Asimov .... *Quand les ténèbres viendront*
124. Jean-Pierre Andrevon ..... *Aujourd'hui, demain et après*
125. Isaac Asimov .... *L'amour, vous connaissez?*
126-127. Ray Bradbury........ *Je chante le corps électrique*
128. Stefan Wul............. *Niourk*
129. Virgilio Martini.......... *Le monde sans femmes*
130-131. Poul Anderson .... *Le monde de Satan*
132. Eric Franck Russell ...... *Guerre aux invisibles*
133. John Boyd.............. *Dernier vaisseau pour l'Enfer*
134. Frederik Pohl et C. M. Kornbluth......... *Planète à gogos*
135. Jean-Pierre Andrevon ..... *Cela se produira bientôt*
136. Stefan Wul............. *Rayons pour Sidar*
137-138-139. John Brunner ..... *L'orbite déchiquetée*
140. John Boyd.............. *La planète Fleur*
141. Bernard Villaret .... *Deux soleils pour Artuby*
142. Roger Zelazny .... *Royaumes d'ombre et de lumière*
143. Arthur C. Clarke .... *La cité et les astres*
144. Thomas Disch........... *Au cœur de l'écho*
145. C. I. Defontenay......... *Star ou Psi de Cassiopée*
146. Stefan Wul............. *Oms en série*
147-148. John Boyd .... *La ferme aux organes*
149-150. M. P. Shiel.......... *Le nuage pourpre*
151-152. Jack Williamson...... *Plus noir que vous ne pensez*
153-154. Henry Kuttner et Catherine L. Moore ...... *Déjà demain*
155-156-157. Olaf Stapledon.... *Les derniers et les premiers*
158-159. Robert A. Heinlein.... *Marionnettes humaines*
160. Algernon Blackwood ...... *Le Wendigo*
161. Arcadi et Boris Strougatski .... *Il est difficile d'être un dieu*
162. Jean-Pierre Andrevon ..... *Le temps des grandes chasses*
163. James B. Tucker......... *Pas de place pour eux sur la Terre*
164. Brian W. Aldiss .... *L'instant de l'éclipse*

165. John Wyndham. . . . . *Le péril vient de la mer*
166. James Blish. . . . . *L'œil de Saturne*
167. Roger Zelazny . . . . *Toi l'immortel*
168. Ray Bradbury. . . . . *Théâtre pour demain... et après*
169. Clifford D. Simak . . . . *A chacun ses dieux*
170. Bernard Villaret . . . . *Le chant de la coquille Kalasaï*
171. Walter Tevis. . . . . *L'homme tombé du ciel*
172. Thomas Disch. . . . . *Poussière de lune*
173. Isaac Asimov . . . . *Les dieux eux-mêmes*
174. Darko Suvin . . . . *Autres mondes, autres mers*
175. Clifford D. Simak . . . . *A pied, à cheval et en fusée*
176. Philip Goy . . . . *Le Père éternel*
177. William Walling . . . . *N'y allez pas*
178. Olaf Stapledon . . . . *Rien qu'un surhomme*
179. Arcadi et Boris Strougatski . . . . *Le lundi commence le samedi*
180. L. Sprague de Camp. . . . . . *A l'heure d'Iraz*
181. Roger Zelazny . . . . *Seigneur de lumière*
182. Isaac Asimov . . . . *Dangereuse Callisto*
183. John Boyd. . . . . *Les libertins du ciel*
184. Mayo Mohs . . . . *Autres dieux, autres mondes*
185. Marie C. Farca. . . . . *Terre*
186. Martin Caidin. . . . . *Cyborg*
187. Isaac Asimov . . . . *Noël sur Ganymède*
188. René Sussan . . . . *L'anneau de fumée*
189. Jean-Pierre Andrevon . . . . . *Retour à la Terre*
191. Isaac Asimov . . . . *Chrono-minets*
192. Clifford D. Simak . . . . *Les enfants de nos enfants*
193. Philip Goy . . . . *Le livre-machine*
194. Ward Moore. . . . . *Encore un peu de verdure*
195. Olaf Stapledon . . . . *Les derniers hommes à Londres*
197. Michael Moorcock . . . . *Une chaleur venue d'ailleurs*
198. Jean-Pierre Andrevon . . . . . *Repères dans l'infini*
199. Isaac Asimov . . . . *La mère des mondes*
200. Ugo Malaguti . . . . *Le palais dans le ciel*
201. Algernon Blackwood . . . . . . *Le camp du chien*
202. Clifford D. Simak . . . . *Le dernier cimetière*
203. Thomas Disch. *334*
204. Fred et Geoffrey Hoyle . . . . *Inferno*
205. Roger Zelazny . . . . *Le sérum de la déesse bleue*
206. Lord Dunsany. . . . . *La fille du roi des Elfes*
207. David Lindsay . . . . *Un voyage en Arcturus*
208. Pamela Sargent. . . . . *Femmes et merveilles*
209. Georges Soria . . . . *La grande quincaillerie*
210. John Boyd. . . . . *Quotient intellectuel à vendre*
211. Stanislas Lem . . . . *La voix du maître*
212. Olaf Stapledon . . . . *Sirius*
213. Bernard Villaret . . . . *Visa pour l'outre-temps*
214. Richard Cowper . . . . *Le crépuscule de Briareus*
215. Bob Shaw. . . . . *Une longue marche dans la nuit*
216. Jean-Pierre Andrevon . . . . . *Retour à la Terre 2*
217. J. D. Jeppson . . . . *La seconde expérience*
218. Michael Moorcock . . . . *Les terres creuses*

219. John Boyd. . . . . *Le gène maudit*
220. Fred M. Stewart. . . . . *L'enfant étoile*
221. Edmund Cooper . . . . *La dixième planète*
222. Jean-Pierre Fontana . . . . . . *Shéol*
223. Richard Cowper . . . . *Deux univers*
224. Maxim Jakubowski . . . . *Galaxies intérieures 1*
225. Pierre Pelot. . . . . *Fœtus-party*
226. Roger Zelazny . . . . *Aujourd'hui nous changeons de visage*
227. James Blish. . . . . *Les quinconces du temps*
228. Clifford D. Simak . . . . *Le pèlerinage enchanté*
229. Ward Moore. . . . . *Autant en emporte le temps*
230. Richard Matheson. . . . . *Le jeune homme, la mort et le temps*
231. Theodore Sturgeon . . . . *Le cœur désintégré*
232. Isaac Asimov . . . . *Flûte, flûte et flûtes*
233. Isaac Asimov . . . . *Cher Jupiter*
234. Kate Wilhelm . . . . *Hier, les oiseaux*
235. Jean-Pierre Andrevon . . . . . *Le désert du monde*
236. Stefan Wul. . . . . *Noô 1*
237. Stefan Wul. . . . . *Noô 2*
238. Philip K. Dick et Roger Zelazny. . . . . *Deus irae*
239. Clifford D. Simak . . . . *La planète de Shakespeare*
240. Joe Haldeman. . . . . *Pontesprit*
241. John Boyd. . . . . *L'envoyé d'Andromède*
242. Jean-Pierre Andrevon . . . . . *Retour à la terre 3*
243. Roger Zelazny . . . . *La pierre des étoiles*
244. Arcadi et Boris Strougatski . . . . *Un gars de l'enfer*
245. Fred et Geoffrey Hoyle. . . . *Au plus profond de l'espace*
246. J. G. Ballard. . . . . *Appareil volant à basse altitude*
247. Philip Goy . . . . *Vers la révolution*
248. Ray Bradbury. . . . . *Bien après minuit*
249. Dominique Douay . . . . *Strates*
250. Denis Guiot . . . . *Pardonnez-nous vos enfances*
252. Philip K. Dick . . . . *Substance mort*
253. Jean-Pierre Andrevon . . . . . *Paysages de mort*
254. Marie C. Farca. . . . . *Terre 10 ¹¹*
255. Isaac Asimov . . . . *L'homme bicentenaire*
256. Philippe Curval. . . . . *Futurs au présent*
257. Kate Wilhelm . . . . *Le village*
258. Daniel Walther . . . . *Krysnak ou le complot*
259. Richard Cowper . . . . *Les gardiens*
260. Lino Aldani . . . . *Quand les racines*
261. Dominique Douay . . . . *Cinq solutions pour en finir*
263. R. A. Lafferty. . . . . *Lieux secrets et vilains messieurs*
264. Alain Dorémieux. . . . . *Promenades au bord du gouffre*
265. Pierre Pelot. . . . . *Canyon Street*
266. Clifford D. Simak . . . . *Héritiers des étoiles*
267. Joe Haldeman. . . . . *En mémoire de mes péchés*
268. Ray Bradbury. . . . . *La colonne de feu*
269. Jean-Pierre Andrevon . . . . . *Dans les décors truqués*
270. Algis Budrys. . . . . *Michaelmas*
271. Maxim Jakubowski . . . . *Galaxies intérieures 2*

272. Ray Bradbury . . . . *Un dimanche tant bien que mal*
273. Jean-Marc Ligny . . . . *Temps blancs*
274. Bob Shaw . . . . *Qui va là?*
275. Stan Barets . . . . *Catalogue des âmes et cycles de la science-fiction*
276. John Varley . . . . *Dans le palais des rois martiens*
277. John Varley . . . . *Persistance de la vision*
278. Richard Cowper . . . . *La route de Corlay*
279. Maxim Jakubowski . . . . *Vingt maisons du zodiaque*
280. Philippe Curval . . . . *La forteresse de coton*
281. Michael Moorcock . . . . *La fin de tous les chants*
282. Philippe Curval . . . . *Le dormeur s'éveillera-t-il?*
283. James Tiptree Jr . . . . *Par-delà les murs du monde*
284. Jean-Pierre Andrevon . . . . . *Compagnons en terre étrangère 1*
285. Bruce Sterling . . . . *La baleine des sables*
286. Patrice Duvic . . . . *Poisson pilote*
287. Frederick Turner . . . . *Mars aux ombres sœurs*
288. Stanislas Lem . . . . *Retour des étoiles*
289. Jean-Marc Ligny . . . . *Biofeedback*
290. Thomas Disch . . . . *Sur les ailes du chant*
292. Chelsea Quinn Yarbro . . . . *Fausse aurore*
293. Jean-Pierre Andrevon . . . . . *Compagnons en terre étrangère 2*
294. Charles Duits . . . . *Ptah Hotep 1*
295. Charles Duits . . . . *Ptah Hotep 2*
296. Michel Grimaud . . . . *Malakansâr*
297. Pierre Pelot . . . . *La guerre olympique*
298. John Varley . . . . *Titan*
299. Kate Wilhelm . . . . *Quand Somerset rêvait*
300. Serge Brussolo . . . . *Vue en coupe d'une ville malade*
301. Isaac Asimov . . . . *Jusqu'à la quatrième génération*
302. Dominique Douay . . . . *Impasse-temps*
303. Lino Aldani . . . . *Éclipses 2000*
304. Michael Moorcock . . . . *Légendes de la fin des temps*
305. Philippe Curval . . . . *Regarde, fiston, s'il n'y a pas un extra-terrestre derrière la bouteille de vin*
306. Orson Scott Card . . . . *Une planète nommée Trahison*
307. Philip Goy . . . . *Faire le mur*
308. John Varley . . . . *Sorcière*
309. Kate Wilhelm . . . . *Le temps des genévriers*
310. Jean-Pierre Andrevon . . . . . *L'oreille contre les murs*
311. Stanislas Lem . . . . *Les voyages électriques d'Ijon Tichy*
312. Brian Aldiss . . . . *Nouveaux venus, vieilles connaissances*
313. Richard Cowper . . . . *Le réseau des mages*
314. Arkadi et Boris Strougatski . . . . *Stalker*
315. Serge Brussolo . . . . *Aussi lourd que le vent*
316. Wolfgang Jeschke . . . . *Le dernier jour de la création*
317. Philip K. Dick . . . . *Siva*
318. Christine Renard et Claude Cheinisse . . . . *A la croisée des parallèles*
319. Maxim Jakubowski . . . . *Galaxies intérieures 3*
320. Jean-Pierre Andrevon . . . . . *Neutron*
321. Gene Wolfe . . . . *L'ombre du bourreau*

322. Joe Haldeman........... *Rêves infinis*
323. Alain Dorémieux......... *Couloirs sans issue*
324. Roger Zelazny .... *Repères sur la route*
325. Michel Grimaud .... *La dame de cuir*
326. J. G. Ballard............ *Salut l'Amérique*
327. Elisabeth Vonarburg...... *Le silence de la cité*
328. Chelsea Quinn Yarbro .... *Ariosto Furioso*
329. Philippe Curval.......... *L'odeur de la bête*
330. Stanislas Lem........... *Contes inoxydables*
331. Dominique Douay........ *Le monde est un théâtre*
332. Gregory Benford......... *Un paysage du temps 1*
333. Gregory Benford......... *Un paysage du temps 2*
334. Serge Brussolo .... *Sommeil de sang*
335. Yves Fremion .... *Territoires du tendre*
336. Emmanuel Jouanne....... *Damiers imaginaires*
337. Orson Scott Card .... *Les maîtres chanteurs*
338. Philip K. Dick .... *L'invasion divine*
339. Pierre Pelot............. *Mourir au hasard*
340. Douglas Adams.......... *Guide du routard galactique*
341. Bruce Sterling........... *Le gamin artificiel*
342. John Varley .... *Les mannequins*
343. Daniel Walther.......... *Happy end*
344. Jean-Pierre Andrevon et
Philippe Cousin.......... *L'immeuble d'en face*
345. Gene Wolfe .... *La griffe du demi-dieu*
346. Jean-Marc Ligny......... *Furia!*
347. Walter Tevis............ *Loin du pays natal*
348. Serge Brussolo .... *Portrait du diable en chapeau melon*
349. Orson Scott Card .... *Sonate sans accompagnement*
350. Richard Cowper .... *La moisson de Corlay*
351. Douglas Adams.......... *Le dernier restaurant avant la fin du monde*
352. Thomas Disch........... *L'homme sans idées*
353. Kate Wilhelm........... *La mémoire de l'ombre*
354. Kit Reed.............. *Des vacances inoubliables*
355. Jean-Pierre Hubert .... *Le champ du rêveur*
356. Philip K. Dick .... *La transmigration de Timothy Archer*
357. Isaac Asimov .... *Fondation foudroyée*
358. Roger Zelazny .... *L'œil de chat*
359. Serge Brussolo .... *Le carnaval de fer*
360. Joseph-Marie Lo Duca .... *La sphère de platine*
361. Gene Wolfe .... *L'épée du Licteur*
362. Philippe Cousin.......... *Mange ma mort*
363. Jean-Pierre Andrevon ..... *Il faudra bien se résoudre à mourir seul*
364. Gregory Benford......... *Contre l'infini*
365. Donald Kingsbury........ *Parade nuptiale*
366. Somtow Sucharitkul ...... *Mallworld graffiti*
367. Jacques Mondoloni .... *Papa Ier*
368. Scott Baker............. *Nouvelle recette pour canard au sang*
369. Douglas Adams.......... *La vie, l'univers et le reste*
370. Michel Grimaud .... *L'arbre d'Or*
371. Richard Cowper .... *Le testament de Corlay*
372. Chelsea Quinn Yarbro .... *Jacinthes*

424. Jean-Pierre Andrevon et Philippe Cousin .... *Gare Centrale*
425. Kim Stanley Robinson .... *Les Menhirs de glace*
426. Bruce Sterling .... *La Schismatrice*
427. Philippe Curval .... *Superfuturs*
428. Philip K. Dick .... *Le crâne*
429. Francis Berthelot .... *La ville au fond de l'œil*
430. Antoine Volodine .... *Rituel du mépris*
431. Rudy Rucker .... *Le secret de la vie*
432. K. W. Jeter .... *Le marteau de verre*
433. Emmanuel Jouanne .... *Cruautés*
434. Marc Laidlaw .... *Papa, maman, l'atome et moi*
435. Lucius Shepard .... *Le chasseur de jaguar*
436. Lucius Shepard .... *La fin de la vie*
437. Walter Jon Williams .... *Câblé*
438. Isaac Asimov .... *Terre et Fondation*
439. Jean-Marc Ligny .... *Yurlunggur*
440. Frederick Pohl .... *Les Annales de la Cité 1*
441. Frederick Pohl .... *Les Annales de la Cité 2*
442. Kate Wilhelm .... *La couvée Huysman*
443. Phillip Mann .... *Le maître des Paxwax*
444. Philip K. Dick .... *Radio libre Albemuth*
445. Frederik Pohl .... *L'avènement des chats quantiques*
446. Jean-Pierre Hubert .... *Roulette mousse*
447. Serge Brussolo .... *Procédure d'évacuation immédiate des musées fantômes*
448. Ian Watson .... *Les oiseaux lents*
449. Gwyneth Jones .... *Plans de fuite*
450. Somtow Sucharitkul .... *Le vent des ténèbres*
451. Bruce Sterling .... *Mozart en verres miroirs*
452. Limite .... *Malgré le monde*
453. Serge Brussolo .... *Château d'encre*
454. Antoine Volodine .... *Des enfers fabuleux*
455. Gary Kilworth .... *Les ramages de la douleur*
456. Ian Banks .... *Entrefer*
457. Arcadi et Boris Strougatski .... *L'Auberge de l'alpiniste mort*
458. James Morrow .... *Ainsi finit le monde*
459. Michaël Swanwick .... *Les fleurs du vide*
460. Gene Wolfe .... *Soldat des brumes*
461. Roger Zelazny .... *Les 9 princes d'ambre*
462. Roger Zelazny .... *Les fusils d'Avalon*
463. Roger Zelazny .... *Le signe de la licorne*
464. Roger Zelazny .... *La main d'Obéron*
465. Roger Zelazny .... *Les cours du chaos*
466. Roger Zelazny .... *Les atouts de la vengeance*
467. Roger Zelazny .... *Le Sang d'Ambre*
468. Roger Zelazny .... *Le signe du chaos*
469. Volume à paraître
470. Volume à paraître
471. Philip K. Dick .... *Le grand O*
472. Robert Shockley .... *Arena*
473. Jean-Marc Ligny .... *D.A.R.K.*

Cet ouvrage
a été reproduit
et achevé d'imprimer
en décembre 1988
par l'Imprimerie Floch
à Mayenne.

D. L. décembre 1988.
Éditeur, n° 2890.
Imprimeur, n° 27494.
Imprimé en France.

2890